JN075722

沖縄平和ネットワーク

大島和典の 歩く 見る 考える 沖縄

高文研

◎読者のみなさんへ——

■大島和典さんと沖縄戦跡・基地フィールドワーク

さあ、沖縄修学旅行２日目です。今日、みなさんを南部戦跡へと案内してくれるこのバスの案内人（ガイド）は、「沖縄平和ネットワーク」の大島和典さんです。沖縄平和ネットワークは沖縄戦の実相や基地問題などを調査・研究・発信していて、その一環として私たちの修学旅行などのサポートガイドをしてくれています。

大島さんを紹介しましょうね。大島さんは香川県出身で、徳島県の四国放送で番組制作などをしていました。退職後、「沖縄戦で33歳の時に戦死した父は、なぜ死ななければならなかったのか——」、その無念を自問するように沖縄に移住しました。

そして沖縄戦について集中して調査・研究、一方米軍が存在することで派生する問題を記録しながら、沖縄県内を修学旅行生などに戦跡や基地を沖縄「平和ガイド」として案内している方です。

今日は乗車ガイドで存分に語りながら案内をしてもらいます。青い海、青い空だけでない沖縄を見て、体験してください。ではマイクを大島さんにお渡ししましょう。よろしくお願いいたします！

◉

バスはホテルを出発しましたが、本書の読者のみなさんにはもうしばらく「事前学習」にお付き合いいただきましょう。

沖縄戦と基地問題を歴史的に連続したものととらえたフィールドワークの原点は、1982年７月、沖縄大学・高文研共催の〈沖縄で学び、沖縄を学ぶ　教育実践セミナー〉に戦跡・基地フィールドワークが組み込まれたことにあります。それまでは沖縄戦は研究者や教師が、基地は労働組合や住民運動がというように別々に取り組む構図になっていました。セミナーは翌年から戦跡・基地フィールドワークそのものが目的となり、1983年に高文研から『観光コースでない沖縄』が出版され、沖縄修学旅行計画の基点となりました。

その後、修学旅行の下見を兼ねた「沖縄《戦跡・基地》ツアー」となり、主催・共催が高文研、沖縄平和ネットワーク、同・首都圏の会と変遷しながら2015年まで33回実施されました（沖縄県外からの参加者は延べ1500名以上）。

その間に1987年「平和ガイドの会」結成、1994年に沖縄平和ネットワークへと発展しました。当初、案内人は基地と戦跡は別々の方が担当しましたが、修学旅行の下見を兼ねたフィールドワークからは、沖縄平和ネットワーク代表世話人だった村上有慶（あきよし）さんが全行程を案内し、その後は大島和典さんに引き継がれました。

大島和典さんの「平和ガイド」としての軌跡は、2004年から81歳となった2017年までに1000回を超えました。

本書は、大島さんの「平和ガイド」としての基本が良くわかるパートを載録しました。実際のガイドから時間が経過し、例えば2021年４月にはひめゆり平和祈念資料館がリニューアル、また改修などで情況が変化しているポイントもありますが、本書の基本は大島さんの「沖縄の見方、歩き方」を読み取っていただくことにあります。

コロナ禍で沖縄での修学旅行やフィールドワークを実施しにくい今だから、「読むフィールドワーク」をしていただけたらと思います。

◉

本書は各地の「大島和典さん応援団」に支えられて実現しました。テープ起こしをしてくださった方々、写真撮影・提供は柴田健さん、牛島貞満さん（ともに沖縄平和ネットワーク首都圏の会）、内容確認は北上田源さん（沖縄平和ネットワーク事務局長）、徳島県で大島さんを応援する住友達也さん（株式会社とくし丸取締役ファウンダー）など、お力添えくださった多くのみなさんに深く感謝いたします。

【高文研編集部・山本邦彦（沖縄平和ネットワーク首都圏の会）】

「沖縄の心」を伝える平和の礎（手前）と沖縄県平和祈念資料館（奥）

〈もくじ〉

1 ホテル出発、南部の第一現場へ

2 ひめゆりの案内〜第三外科壕の前で

3 「平和の礎」を歩く

4 「魂魄の塔」「米須海岸」案内

コラム　沖縄のアイスはなぜ美味しい

5 「嘉数高台」を歩く

1　展望台で

1．沖縄の過去、つまり沖縄戦

2．沖縄の現在（いま）

装丁：商業デザインセンター・増田 絵里

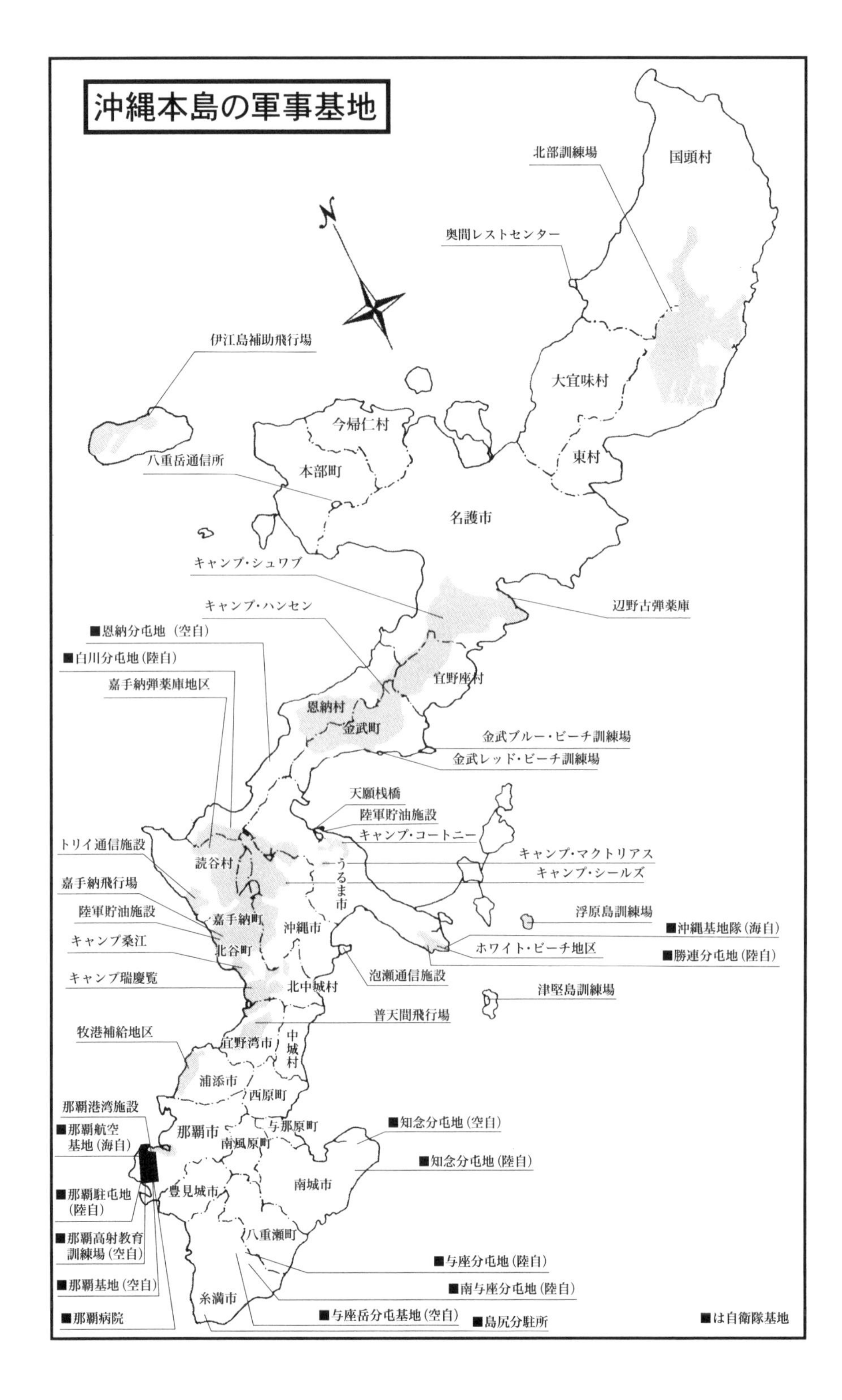
沖縄本島の軍事基地
北部訓練場
国頭村
奥間レストセンター
伊江島補助飛行場
大宜味村
今帰仁村
東村
八重岳通信所
本部町
名護市
キャンプ・シュワブ
辺野古弾薬庫
キャンプ・ハンセン
■恩納分屯地（空自）
■白川分屯地（陸自）
嘉手納弾薬庫地区
宜野座村
恩納村
金武町
金武ブルー・ビーチ訓練場
金武レッド・ビーチ訓練場
天願桟橋
陸軍貯油施設
キャンプ・コートニー
トリイ通信施設
キャンプ・マクトリアス
読谷村
うるま市
キャンプ・シールズ
嘉手納飛行場
陸軍貯油施設
嘉手納町
沖縄市
浮原島訓練場
■沖縄基地隊（海自）
キャンプ桑江
北谷町
ホワイト・ビーチ地区
■勝連分屯地（陸自）
泡瀬通信施設
キャンプ瑞慶覧
北中城村
津堅島訓練場
普天間飛行場
牧港補給地区
宜野湾市
中城村
浦添市
西原町
那覇港湾施設
■那覇航空基地（海自）
那覇市
与那原町
■知念分屯地（空自）
南風原町
■知念分屯地（陸自）
南城市
■那覇駐屯地（陸自）
豊見城市
八重瀬町
■那覇高射教育訓練場（空自）
■与座分屯地（陸自）
■那覇基地（空自）
■南与座分屯地（陸自）
糸満市
■那覇病院
■与座岳分屯基地（空自）
■島尻分駐所
■は自衛隊基地

1 ホテル出発、南部の第一現場へ

＊自己紹介－沖縄平和ネットワーク

みなさん、おはようございます。まだ眠いかな？　昨日12時までに寝た人？　えっ、たったふたり？　まあそうだよね。初めて沖縄という人がほとんどでしょうし、仲の良いお友だち同士がいっしょの部屋だったわけだから、楽しかったですよね。

しかし今日は「平和学習の日」です！　事前に十分勉強してきたと思います。だけどそれは資料とか映像の世界でしたよね。それをここ沖縄で「現場」に立って確認するという大事な日です。眠くて、しかも辛い話が多くて大変だと思うけど、一生懸命眠さを押さえ込んで頑張ろうね。

ところでボクは首にかけているカードに書いてあるように、「沖縄平和ネットワーク」の大島和典といいます。「沖縄平和ネットワーク」は沖縄戦の実相や基地の問題を調査・研究・発信しているグループです。

さらにその成果を「平和学習」に活かそうと、こうして「平和ガイド」としてみなさんの「平和学習」のサポーターをし

車中でガイドをする大島和典さん

ています。

ボクは今言ったように大島といいますが、大島と聞いて何か分かったことがありませんか？　まあほとんどの人が沖縄は初めてでしょうから少し説明しましょうね。

＊「姓」から考える沖縄の歴史

今日私たちを案内してくれるこのバスのドライバーさんは、お聞きしたら比嘉（ひが）さんです。そしてガイドさんは金城（きんじょう）さんです。みなさん、沖縄で多い姓は何だと思いますか？　えっ？　比嘉ですか。ピンポーン！　一番多い姓が比嘉です。本土、とりわけ関東では「石を投げると佐藤さんか鈴木さんに当たる」と言われます。おっと、佐藤さん、鈴木さんがいる？　両方ともいるって？　それはご丁寧に（笑）。まあ悪いことを話そうというわけではないので許してくださいね（笑）。

沖縄では「石を投げると比嘉に当たる」というボクの友人が言っています、その人も比嘉さんなのですが……。

多い順に言うと一番が比嘉さん、二番が今日のガイドさんの金城さん、三番が大城（おおしろ）さん、四番宮城（みやぎ）さん、五番新垣（あらかき）さんとなっています。

一番の比嘉さんは、昔は東（ひがし）さんだった！　東さんが比嘉さんに変わった、あるいは変えさせられた。この時期と理由はどうなのか。

みなさん、少しは沖縄の歴史、琉球王国の歴史を勉強していると思うのですが、統一琉球王国はいつ成立したのか。それは1429年に、それまでの戦国時代（沖縄では三山（さんざん）時代、つまり北山（ほくざん）、中山（ちゅうざん）、南山（なんざん））を統一して「琉球王国」となりました。そして1609年に島津藩に侵略されて、それ以後は島津藩（後には江戸幕府がいるのですが）が、

沖縄で多い姓

①比　嘉
②金　城
③大　城
④宮　城
⑤新　垣

奄美では「一字姓」に
元（はじめ）
碇（いかり）
文（かざり）
中（あたり）

島津侵略後は… 沖縄では「大和風は駄目」 「三文字姓に」		
東	→	比　嘉
船越	→	富名腰
徳川	→	渡久川
前田	→	真栄田

実質的な支配者となったのです。

そこで「大和（やまと）風（本土風）の名字はまかりならぬ」として、東さんは比嘉さんに変えさせられました（1624年通達）。それは島津藩の琉球侵略のねらいが、「琉球王国」が中国との間で、中国皇帝の辞令を受けて即位する「冊封（さっぽう）関係」にあったことで生まれる、貿易の旨味をかすめ取ろうということにありました。そのために鎖国をしていた江戸幕府（具体的には島津藩）が表面に出ることを避けるために、本土風でない姓に変えさせたわけです。

そのころ同じく島津藩に支配されるようになった奄美（あまみ）でも、姓を変えさせられました。その多くは一文字の姓に、例えば今でも奄美にはたくさんありますが、「元（はじめ）」「中（あたり）」などというように……。

沖縄の場合かなりの人が三文字の姓に変えさせられました。一挙にではありませんでしたが、徳川を「渡久川」に、船越を「富名腰」というように変えさせられていきました。

ところでみなさん、これはどういう意味があると思いますか。

その人が一文字姓か三文字姓かで、どこの地域の人かが分かるのです。これは人々を管理する上で都合のいいことなのです。

みなさんが今日行く「ひめゆり平和祈念資料館」にもありますが、戦前戦中、師範学校女子部や県立第一高等女学校などでは、学年毎に髪型を変えていたことが分かる資料があります。例えば１年生はおかっぱ、４年生は三つ編み……というように。髪型を見ただけで何年生か分かる仕組みになっているのです。「早く三つ編みになりたい」との憧れが向学心に役立つという見方もありますが、何よりも髪型だけで何年生かが分かるという、管理上の理由があったと思います。

沖縄の屋号

川端
川端小
前川端小
西り前川端小
二男西り前川端小

話が少しそれましたが、沖縄では大ざっぱなくくりでいえば三度、姓を変える、あるいは変えさせられた時期があったわけです。一度目は「島津藩の支配下」に入った時です。二度目は琉球処分後、「琉球処分」って勉強しましたか？

明治維新後、明治政府はそれまで名目的にでしたが「琉球王国」を認めていました。これを「琉球藩」に変えさせ、その後明治 12（1879）年には「沖縄県」として日本の体制に組み込み、「琉球王国」を完全に解体してしまいました。これが「琉球処分」です。

その後しばらくして本土にもあった「徴兵制度」を適用して、沖縄の若者を兵士として徴兵することが始まります。日本が柳条湖事件勃発からポツダム宣言受諾までの 15 年戦争にのめり込むにつれて、急速に徴兵される人が増えていきます。

軍隊に入ると、それまでの「沖縄風の姓」は読みにくいということもあって、改姓を強要するということが起きたり、自ら大和風に変えたりしました。

つまり一度目は大和風から沖縄風に、二度目は沖縄風から大和風に改姓することが行われたのです。平たくいえば、「日本の支配下」に入った時に姓を変えることが起きたのです。

そして三度目は、みなさんも予想がつくと思いますが、戦後です。「アメリカの占領下」に入った時期です。つまり沖縄戦で多くの戸籍原簿がなくなってしまった。それで戦後８年目（1953年）に制定された戸籍整備法によって整備し直すということが行われました。

このときは自分の意志で沖縄風から大和風に、また逆に大和風から沖縄風にするということが行われました。簡単にいえば沖縄で姓が変えさせられた、あるいは変えたのは三度とも支配者が変わったときだったということを覚えておくといいかも知れません。

みなさん、沖縄の歴史にはこんな「姓」という入口からも入っていけるのです。そこからでも「琉球王国」の歴史に入っていけるのです。

歴史の勉強といったらボクらの時代でしたら年代順というか、何年にどんな事件、出来事があったか、それを覚えることに一生懸命でした。

しかし例えば沖縄の歴史には姓からもアプローチ出来る、食べ物からもアプローチ出来る。余計なことでしたが歴史の勉強って自分の関心をそそるところからも入っていけるのです。

＊ボクが平和学習サポーターとなった理由

さて長々と沖縄の姓について話しましたが、それはなぜか？　さっき紹介したようにボクの姓は「大島」です。沖縄には少ない姓です。電話帳で調べてみると、ボクの住んでいる浦添(うらそえ)市には一軒もありません。最大の都市・那覇(なは)市でも11軒で、あと山偏に鳥と書く「大嶋」が少しある程度です。

勘のいい人は分かったと思いますが、そうです！　ボクは本土出身の人間です。四国・香川県に生まれて、隣の徳島県の放送局でディレクター、プロデューサーとして番組作りをしてきた人間です。それを聞いて、もしかしたら「何で、沖縄へ来て本土の人間から沖縄戦の話を聞かんならんのや（～とすっかり関西風になっていますが)」と思う人がいるかも知れませんね。そうですよね。沖縄の人から聞く方が説得力ありますよね。ボクもそう思います。なぜ、そんな中で本土出身のボクがみなさんの平和学習のサポーターをするのか。

実はみなさんが今日これから行く「平和の礎(いしじ)」に、ボクの父親の名前が刻まれているのです。ということはボクの父親は沖縄で戦死しているということなのです。その「平和の礎」から3、4キロのところで死んでいるのです。ボクはその時、小学校（当時は国民学校といっていましたが）3年生でした。

その当時からボクは「父親はなぜ沖縄で死ななければならなかったのか」と考え、「その沖縄戦とはどんな戦争だったのか」「どうして沖縄戦になったのか」「戦争を防ぐ、さらには戦争を起こさないためにはどうしたらいいか」が、ボクの命題、生涯の命題となったのです。

放送局でラジオやテレビの番組を作るセクションに行ってからは、その観点での番組を多く作りました。そして2004年に、父親が眠る沖縄へボクも骨を埋めようと移住してきて、今みなさんと共に平和を考える活動、「平和ガイド」をやっているのです。こういうボクの生涯の命題は、みなさんが沖縄へ来て「平和学習」をする目的と大きく重なっていると思うのです。どうかそこを理解していただいて、「何で本土の人間から沖縄戦の話を聞かなならんのか」と思わずに、ボクの話に付きあってください。

＊なぜ、南部戦跡へ行くのか

さてこれから「ガマ」「平和の礎」「ひめゆり」などを回るわけですが、みなさんの頭の中を整理しておいてもらおうと思っています。十分事前学習されていると思うのですが、ここ沖縄でもう一度整理しておきましょう。

みなさん、ジグソーパズルって知っていますね。みなさんは今、ジグソーパズルのいくつかのピースを持っているのと同じだと思います。つまり、「轟(とどろき)の壕」とか「平和の礎」とか「ひめゆり」というピースを持っている、しかしそれをどこに入れたらいいか分からないというのが今の状態でしょう。

そのピースをいつどこに入れたら「沖縄戦」という絵になるか。それを理解してはめ込んで行くために、沖縄戦が時間的に、地理的にどのように移り変わったのかを整理しておきましょうね。

ここで問いかけているのは、次の二点です。

①なぜ南部へ行くのか。

②なぜ「平和学習」をするのか。

なぜ南部戦跡へと行くのかをみなさん、考えたことはありますか？　沖縄本島での戦争を考えたら、北端の辺戸(へど)岬から南端の喜屋武(きゃん)岬まで、直線距離で約110キロの間が全部戦場になったのですよ。それなのに「なぜ南部へ行くのか」。これから行く「ガマ」「礎」「ひめゆり」、全部南部です。なぜ南部へ行って平和学習をするのか、よく考えてみましょう。

まず沖縄戦はいつ、どこから始まりましたか？

沖縄戦を勉強するうえでいくつかの「キーワード」的なデート（日付）がありますから、どうかしっかりインプットしておいてくださいね。

沖縄戦が始まったのはいつでしょうか。上陸前に空襲が、それから猛烈な艦砲射撃が1945年3月23日から始まりました。そして那覇市西方約40キロの慶良間(けらま)列島へ米軍が上陸したのが3月26日、実はここで悲惨な「集団自決」があったのですが、これは時間があれば後でお話しましょう。つづいて読谷(よみたん)、嘉手納(かでな)、北谷(ちゃたん)の海岸へ上陸したのが４月１日……。正確に言うならば「沖縄戦の始まり」は３月23日、沖縄（この場合離島の慶良間）へ上陸したのが26日、沖縄本島に上陸したのが４月１日ということになります。とにかく４月１日に本島西海岸の読谷、嘉手納北谷の海岸に上陸して本島での闘いが始まります。

押しかけてきた連合軍、主に米軍ですが、その総数54万８千人、持ってきた艦艇は大小約1500隻。そのうち米軍の上陸軍の兵力は18万３千人といわれています。これに対して日本の守備軍は、現地沖縄で召集したり動員した人たちも含めて約11万人、訓練が十分でない兵士も含めたこれら11万余の日本軍が司令部を置いたのが、みなさんが最終日に行く首里城の地下でした。米軍は北方向から日本軍司令部のある首里城を攻めるわけですから、当然中部が日米軍同士がぶつかる激戦地となるわけです。

ところでこの激戦地では大ざっぱにいえば、住んでいた住民の50％前後が亡くなった。50％といえばこのバスの右側全部、あるいは左側の人全部が死んでしまったということです。40％、30％

本島上陸地点の説明碑

沖縄本島・周辺離島
米軍侵攻略図
（1945年3月～6月）
1945年3月26日上陸
1945年3月27日上陸
座間味島
座間味
第77歩兵師団（ブルース少将）
黒島
儀志布島
屋嘉比島
阿嘉島
阿嘉
安室島
渡嘉敷
渡嘉志久
慶留間島
阿波連
渡嘉敷島
外地島
久場島
阿波連島
伊平屋島
6.3
第8海兵連隊上陸
辺戸岬
辺戸
伊是名島
4.13
伊江島
4.20
第6海兵師団占領
古宇利島
4.19
第6
海兵師団
安波
4.16－21
第77歩兵師団占領
備瀬
八重岳
本部半島
屋我地島
水納島
平良
4.11
平良湾
国頭
瀬底島
4.8
名護
6.9
第8海兵連隊上陸
4.13
偵察大隊上陸
名護湾
粟国島
東シナ海
4.5
大浦湾
久志
北（読谷）飛行場
金武
石川
金武湾
伊計島
4.7
偵察
第6海兵師団
嘉手納
中頭
4月1日
米第10軍上陸
渡具知
第1海兵師団
中（嘉手納）飛行場
宮城島
第7歩兵師団
平安座島
第96歩兵師団
島袋
勝連半島
浜比嘉島
4.10
第27歩兵師団上陸
慶伊瀬島
牧港
中城
中城湾
3.31
偵察大隊上陸
津堅島
5.29
4.19
海軍司令部
沖縄守備軍（第32軍）司令部
那覇
首里
与那原
小禄飛行場
知念半島
島尻
久高島
6.11
八重瀬岳
糸満
港川
4.1
第2海兵師団
陽動作戦実施
6.20
6.20
摩文仁
喜屋武岬
与座岳
4月3日の米第10軍占領地位
米軍の第一線
6.26
米軍政府
分遣隊上陸
久米島

近い人が亡くなっているところもあります。これをまずしっかり頭に入れておいてくださいね。
激戦地は中部と南部にあります。
中部の激戦地ではそこの住民がその戦闘に巻き込まれて亡くなったのか……、実はそうでもないのです。
確かに場所によっては日本軍陣地に動員されるなどして、住んでいたところで亡くなったという人が50%近いところがあります。しかし亡くなった多くは南部で、ボクたちが行く南部、といっても今バスが走っているここももう南部ですが、南部で亡くなっているのです。

なぜそうなったのか。実は激戦地になった中部の人たちや都市部、まあ那覇市のことになりますが、そこの住民の多くは南部へ避難したのです。沖縄戦が始まるまでに北部へ疎開、避難した人もいましたが激戦地とか都市部の人々は、近くに日本軍がいて米軍へ投降するのを許さなかったり、日本軍の命令・強制・誘導もあって中部の住民の多くは南部へ避難しました。
さらには軍の意向を汲んだ沖縄県庁も５月27日以降、南部への避難を指示します。またそれ以前に住民たちが南部へ避難した、それをベースに日本軍の首里司令部が陥落するようなことがあれば、つまり住民は首里で玉砕するようなことになれば、あるいは降伏するようなことになれば、その時点で戦争は終わると思っていたのです。
しかし日本軍は玉砕、玉砕とは全員戦死することを意味しますが、玉砕はしなかった。また降伏もしなかった。日本軍は首里司令部を放棄し、南部へ撤退していったのですが、撤退完了の時点では約11万いた日本兵は３万強までに減っていたのです。
７万から８万の兵士が中部戦線と南部撤退の中で戦死していた。そのほとんどが中部戦線で戦死していたわけですから、ここで戦争

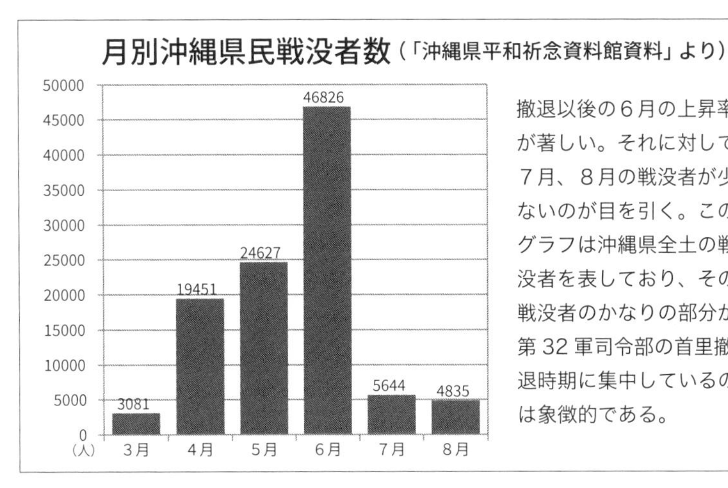

をやめていたらボクたちも南部へ「沖縄戦の実相」を勉強しに行く理由は薄くなったでしょう。しかし実際は 10 数万から 20 万ともいわれる住民・避難民がいる南部へ、敗残兵同様の日本軍が撤退してきた。遅れた避難民を引き連れる形で……。摩文仁にもう一度司令部を置いて抵抗するということになったのです。

つまり南部では 10 数万から 20 万という避難民・住民らと３万強の敗残兵同様の日本軍兵士が混在することになったのです。

ここに県立平和祈念資料館の資料があります。これは月別の県民の戦没者数を棒グラフで表しています。見たら分かるようにこの飛び抜けて高い月、これが６月です。日本軍が首里から撤退を始めたのが５月 27 日、南部へ撤退を終えたのが６月４日。日本軍が撤退を始めた頃から急激に県民の戦没者が増えていったことを示しています。南部では日本軍と住民・避難民が混在するということになって日本軍兵士を駆逐しようとする米軍は、結局無差別に攻撃するということになります。

米軍の沖縄攻略の目的は、沖縄を完全に占領して中部の日本軍の飛行場（南、中）をおさえて拡張し、本土への爆撃機・B29 という当時世界最大の爆撃機なのですが、それを飛ばして本土を爆撃することにありました。だから日本軍兵士を駆逐して全島を支配する必要があったのです。

日本軍兵士が住民・避難民が多数いる南部に紛れ込んで抵抗するということになり、南部での戦闘は完全に「住民巻き込み」という様相を示すことになったわけです。

みなさんが今日はいる轟壕、轟壕は糸満市伊敷地区にあるのですが、伊敷地区の亡くなった住民のうち76%が6月に亡くなっているのです。

一般的には沖縄戦で亡くなった沖縄県民の6割から7割が南部で亡くなっているといわれています。

＊なぜ日本軍は南部へ撤退したか

ところで日本軍は約7割もの兵力を失っていて、降伏してもいいというより、降伏して戦争を止めるべきだったのに、なぜ南部へ撤退したのでしょうか。

それにはいくつかの理由があるのですが、とりあえず二つに絞って話します。

第一の理由、これが最大の理由なのですが、沖縄の守備軍・第32軍の任務は、「一日でも長く米軍を沖縄へ足止めして本土への上陸を遅らせる」ということでした。いわば沖縄を「捨て石」に使うという訳です。

なぜそういえるのか、一つだけいっておきます。沖縄戦の始まる直前（1月）に天皇の司令部である「大本営」は沖縄を「皇土」、つまり天皇の土地、特に本土を防衛する前縁と位置づけました。そのために沖縄を持久戦の場としたのです。また当初の兵力より一師団減らされたため、第32軍は上陸軍を海岸で叩くという島での闘いの鉄則を捨て、地下壕に潜って持久戦に入り米軍の消耗を誘うことを考え、最後は南部に下がって最後の一兵まで闘うという戦術をとったのです。

この「大本営」の方針が決まった時点で、沖縄県民の運命は決まったといっていいでしょう。沖縄県民は本土防衛の「捨て石」にされたのです。

1944年11月、第32軍は「軍官民共生共死」という方針も決めました。つまり「軍隊と役所と民間は共に闘って共に死ぬ」ということです。これが後の「集団自決」という悲劇に繋がっていきます。

米軍は沖縄をおさえた後、その年の秋には南九州へ、次の年の1946年3月には千葉、相模湾などに上陸し、首都を目指すという作戦計画を確定していました。それぞれ「オリンピック作戦」、「コロネット作戦」と名付けていたのです。

その米軍の作戦遂行を遅らせる、つまり沖縄戦は本土決戦の準備をするための時間稼ぎだったのです。そのために敗残兵同様になった日本兵を引き連れて南部に下がり、「住民の協力も得て最後の一兵まで闘う」と牛島司令官は言っているのです。その結果、10数万とも20万ともいわれる避難民・住民がいる南部に、敗残兵同様の日本兵が雪崩込むという事態になります。

日本軍が南部に撤退した第二の理由は、南部にたくさんのガマがあるということでした。ガマ、鍾乳洞ですが、今走っている糸満市だけでも239のガマがあるといわれています。沖縄の中南部は主に隆起石灰岩地質が多く、ガマ、鍾乳洞が多いのです。研究者によってはその数は2000とも6000ともいっています。

つまりたくさんあるガマが、日本軍の陣地に使えるということが第二の理由です。

米軍が首里に迫った5月22日時点で、日本軍司令部では検討された三つの案がありました。

一つは首里周辺で最後の反撃を試み、そこで玉砕する。二つ目、三つ目は南部へ下がる。同じ南部でも地形的に戦車戦に有利な知念半島案、ガマの多い喜屋武半島案があったようですが、結局は喜屋武半島の方が、ガマが多いということで決まったのでした。

ところがそのガマですが、人が入れるようなガマにはすでに住民・避難民が入っていました。そこへ日本兵が下がって来るとどういうことが起きたか！

「日本軍が使うから出て行け」と住民・避難民の追い出しが起きました。随所でです。追い出された地上はどういう状況だったのか。

沖縄戦は「鉄の暴風」が吹いたといわれています。沖縄は台風の通り道ですから暴風が吹きます。暴風だったら雨風なのですが、「鉄の暴風」が吹いたのです。鉄片、つまり大小の砲弾爆弾、迫撃砲弾、手榴弾、機関銃弾、小銃弾などが、まさに鉄片が暴風のように飛びかったのです。

＊「鉄の暴風」の具体例

ここで「鉄の暴風」の具体的な例を話しておきましょうね。

沖縄戦体験者は、例外なく「カンポウが恐かった」と言っています。「カンポウ」、軍艦の大砲から撃ち出す艦砲射撃のことです。

ずしりと重い砲弾の破片

米英軍など連合軍は大小約1500隻の軍艦を持ってきていました。艦砲射撃がどれだけすごかったか。いま回しているものは何か分かりますか。鉄？　そう、鉄だよね。しかし鉄の「何」なのでしょう？　それは砲弾爆弾の破片なのです。

　連合軍が撃ち出した、ないしは投下した大小の各種砲弾、爆弾、手榴弾、機銃弾、小銃弾など、その数は合わせて千数百万発になるとのデータがあります。沖縄の人が「一番怖かった」という軍艦からの砲弾だけでも60万発も撃ち込まれているのです。その60万発の艦砲弾のうち72%が５インチ砲弾なのです。５インチ砲弾、直径12・５センチ、長さ50センチ位の砲弾です。

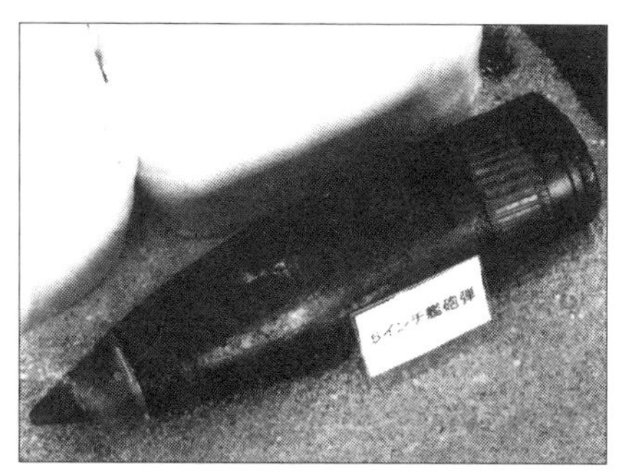

長さ50センチほどの5インチ砲弾

　今でも沖縄では不発弾が見つかっています。1972年の復帰後でも138万発の不発弾が見つかり、その内の約30%が５インチ砲弾です。これらは見つかったら処理されているのですが、このペースで行けば沖縄から不発弾をなくするまでに、あと80年かかるといわれています。それくらいたくさんの砲弾、爆弾が撃ち込まれたのです。

　ところで一番たくさん撃ち込まれた５インチ砲弾の場合、今みなさんが手にしているような破片はどれだけの範囲に飛び散るか、想像して答えて見てください。何？　10メートル？

　ノンノン！　手榴弾だったらそうかも知れないけど半径230メートル、直径460メートルの範囲に飛び散るのです。数か月前に、ボクらが今日これから行く摩文仁の平和祈念公園で50キロ爆弾が見つかりました。500キロ爆弾ではなく50キロ爆弾ですよ。それが爆発してどれだけの範囲に破片が飛び散るか、半径400メートル、直径800メートルです。250キロ爆弾にいたっては半径700メートル、直径１・４キロです。

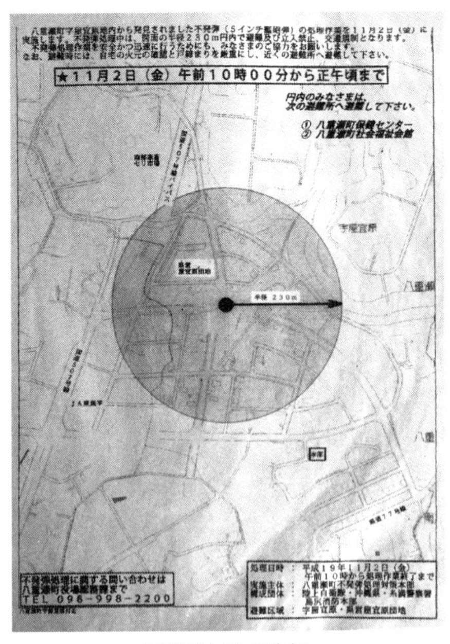

不発弾処理の告知

なぜ破片の飛び散る範囲をそんな数字でいえるのか。それは不発弾を処理する時、その範囲の住民が立ち退かされるのです。その範囲だったら破片が飛ぶということでしょう。2002年、那覇市で250キロ爆弾の不発弾が見つかり、その処理に3万人が避難させられ、900の事業所が処理が終わるまで休業に追い込まれました。

もう一つ、このバスで言えば、このバスに5インチ砲弾が当たったら、このバスの長さは約11～12メートルなのですが、ボクら死ぬどころではなくバラバラになって飛び散ります。手足、首などが飛び、肉片があたり一面に飛び散るでしょう。直撃弾に当たった場所の様子をそのように証言している人がたくさんいます。

南城市前川地区でこんな証言を聞きました。叔母（おば）さんとその甥（おい）が道で並んで座り込んで話していたとき、砲弾か爆弾が後の絶壁に当たったそうです。その破片で叔母さんの首が飛び、横の甥の膝にポンと乗ったというのです。

そんな砲弾、爆弾がどのような密度で撃ち込まれたのか。

これはみなさんが最後の日に行く首里城近くの様子です。この水たまりは砲弾爆弾が撃ち込まれた跡に水がたまったものです。5インチ砲弾でも、直径460メートルにわたって破片を飛び散らして人を殺傷するのです。これだけの密度で撃ち込まれているのです。

また別のデータがあります。米軍が読谷、嘉手納、北谷の西海岸に上陸したときに撃ち込んだ砲弾爆弾は一坪当たり１発、それが最終盤の南部では一坪当たり70 ～ 80 発撃ち込まれたといいます。

艦砲射撃や陸からの砲撃のすさまじさを物語る無数の弾痕（首里城付近／沖縄県平和祈念資料館提供）

みなさん、これでは地上では生きていけませんよね。ここで「鉄の暴風」と「日本軍のガマ追い出し」「６月の戦没者数」とを、頭のなかで重ねてみてください。なぜボクらが南部へ行くのかが分かるでしょう。二つの資料があります。

一つは防衛省、つまり自衛隊が隊員の教育に使っている資料です。それは14 歳未満の子どもたちの戦没者１万 1000 人余りの死亡原因についての調査資料ですが、そのうち１万人少しが「壕の追い出し」によって死んだとあります。

もう一つは役場のデータ、今バスが走っているところから北東方向に東風平（こちんだ）という地区がありますが、戦没者約 3000 人のうち被弾死、つまり弾や破片に当たって死んだ人は約 90%だとあります。それに対して餓死・病死はそれぞれ３%弱です。これで南部で日本軍と混在することで起きた「住民巻き込み」という「沖縄戦の実

住民の「死」の様態

★被弾死 各種の弾丸、破片で 約90%
★虐殺 ★「集団自決」
★餓死 ★栄養失調死
★衰弱死 ★傷病死
★マラリア罹患死、など

相」が、かなり見えてきたと思います。

もちろん「住民巻き込み」「壕の追い出し」だけが実相のすべてではなく、日本兵による住民をスパイ視した「住民虐殺」、ガマの中での「幼児殺害」やその強要、「食糧強奪」なども「沖縄戦の実相」を学ぶ上で知る必要があるのですが、それは現場で詳しく話しましょう。その方がリアリティーがありますからね。

＊戦闘に巻き込まれた住民がどうなったかを知る場所

ここでまとめておきましょうね。

「なぜ南部へ行くか」ですが、南部での諸相の中に「沖縄戦の特徴」が一番現れているのです。

①南部へ避難していた避難民、住民に敗残兵同様の日本兵が紛れ込み、米軍による日本兵掃討戦の戦場になった。これは米軍による無差別攻撃の要因となった。

②住民、敗残兵混在のなかで、日本兵による住民への「ガマの追い出し」をはじめ「ガマ内部での幼児虐殺・その強要」「スパイ視による住民殺害」が多発し、米軍の攻撃に「住民を楯に使い」「住民の投降を日本兵が阻止、妨害し」「日本兵の自決への巻き添えにし」「食糧・水を強奪した」などで住民を虐待したり死に至らしめた。

③同時に軍隊内部では南部撤退の際、さらに南部で負傷兵に自決を迫ったり、銃や青酸カリなどによる「虐殺」が行われるなどして「日本軍は住民を守らなかった」など軍隊の本質をさらけ出した。

また別の観点で述べると、本当はボクら研究している立場では、

「なぜ南部へ行くか」を話すためには、南部でどれだけの住民がどこで亡くなったかのデータが欲しいのです。しかしそれは調査不可能です。仕方なくどこの住民がどれぐらいの比率で亡くなったかを調べるしかないわけです。

ただ二つばかりそれを示すデータがあります。一つは那覇市のすぐ上（北）の浦添市（当時は村）の資料で、亡くなった4112名のうち約1000人が浦添で亡くなっていて、約1300人が南部で亡くなっています。二つ目は東風平村のことですが、亡くなった約3000人のうち44%が、南部の島尻地区で亡くなっています。

南部では元々の住民の死者数に、中部からの避難民の死者を上積みする必要があるのです。そんな場所にボクたちは入って行って、「沖縄戦の実相」を勉強するのだということを覚えておいてくださいね。

つまり「南部での戦闘に巻き込まれた住民がどうなったか」を知ること、これがボクらが「南部へ行く」一つの理由です。

＊「沖縄戦」を学ぶ意味

ところで「なぜ南部へ？」の問いはまた、ボクらの現在と未来と大きな関係があるのです。これが二つ目の「南部へ行く」理由です。

沖縄での平和学習は直接的には沖縄戦という過去を学ぶことにあるのですが、学んだ結果「沖縄戦はひどかったね」「戦争に巻き込まれて沖縄の人々はかわいそうだったね」で終わってもらっては困るのです。みなさんがその範囲で納得して帰るのでしたら、平和学習の大きな目的を見失ってしまうと思うのです。としたら「何を学ぶか」「現在、将来と結ぶものは何か」が問題となります。

「住民巻き込み」が沖縄戦の一つの大きな特徴であり、過去・現在・末来を結ぶキーワードなのです。この「住民巻き込み」は第二次世界大戦ころからの特徴です。

昔の戦争は、まあナポレオンの時代、日本の戦国時代などでいえば、主に平原で軍隊同士がぶつかり合い、それで勝敗を決めていた……。それが第二次世界大戦ころからそうでなくなった。近代戦は総力戦です。戦線の背後にある生産力、それに協力する住民たちを破壊、殺戮する必要が出てきたためでもあります。

例えば1937年、これは第二次世界大戦直前ですが、スペイン内戦のなかでドイツ軍とイタリア軍（ともにファシスト政権になっていました）が、同じファシストであるフランコ反乱軍に加担してスペインの古い都市ゲルニカを、無差別爆撃をして多数の住民を殺しました。これに怒ったピカソが描いたのが、あの名画「ゲルニカ」です。

それに引き続き、日本軍が1938年に中国の重慶を無差別爆撃をする、一方で地上でも侵略戦争を始めていた日本軍は、中国で捕虜だけでなく一般住民まで虐殺するといったように、地上戦が発展して行く過程でこの「住民巻き込み」が、いわば近代戦争では常態となって行きます。

太平洋戦争以後に限ってみても、「朝鮮戦争」「ベトナム戦争」「湾岸戦争」「アフガン戦争」「イラク戦争」と、みな「住民を巻き込んだ」戦争、戦闘になっていますよね。

ここにそれを示すデータがあります。

第一次世界大戦で巻き込まれて亡くなった人は約５％、あとは兵士たちです。兵士だから死んでもいいとはいいませんが、こういう比率になっています。第二次世界大戦からベトナム戦争に至る過程の戦争で、住民が殺される比率がどんどん増えていって、ベトナム戦争では第一次世界大戦時とは逆転して、亡くなった人の95％が住民なのです。

住民犠牲の割合

一次大戦	5％
二次大戦	48％
朝鮮戦争	84％
ベトナム戦争	95％

その後の戦争、湾岸・アフガン・イラク戦争はどうですか、アメリカ軍は住民の被害については発表して

いませんが、例えばイラクでも政府筋の数字でも何万という、万単位の数字になっています。

さらにはこれから「あってはならない」けれど、これからも「あるだろう」これからの戦争・紛争、これも間違いなく「住民を巻き込んだ」戦争です。それらの戦争がどんな悲惨な状況を生み出すかを学び、そんな戦争を防ぐためにどうしたらいいのかを考えるためには、「住民を巻き込んだ」地上戦があった沖縄へ来ることが必要なのです。

確かに日本全土があの戦争に巻き込まれました。しかし本土の戦争は「空襲」だったのです。まあこれも完全に米軍による「住民巻き込み」の無差別攻撃ではあったのですが、日本政府がポツダム宣言を受け入れると通告して、昭和天皇がラジオで放送したら、米軍は爆撃機を飛ばすのをやめる、つまり空襲は止まるということにもなるのです。

しかし沖縄ではそうはならなかった。沖縄戦のような地上戦は、空襲とは違った「住民巻き込み」の様々な様相を生み出すわけです。

「住民巻き込み」という沖縄戦最大の特徴は、今も続いていますね。いまも沖縄に存在し続ける米軍基地、そこにいる米兵によるイラク、アフガンなどでの被害が続いていることはみなさん知っていますよね。「沖縄戦は今なお続いている」のです。

＊「現場に立つ」ことが何よりも大事

これから将来「あってはならない」けれど、「あるだろう」ところの「住民を巻き込む（住民を犠牲にする）」戦争は、どのような様相になるのだろうということを学び、そこから「戦争への道」をどう止め、これからの真の「平和」をどう作り出すかを考える、これを考えるきっかけをつかむために、みなさんは何よりも沖縄へ来る必要があるのです。しかも沖縄の南部へ来て様々なことが起きた場所、その「現場」に立つ必要があるのです。

それがみなさんが「南部へ行く（来る）」大きな理由ではないかと、ボクは思っているのです。同時にこれはみなさんへの問いかけ②の「なぜ平和学習をするのか」は、一つのボクからの宿題でもあります。

そこをしっかりとつかんだ上で、いくつかの「現場」をまわって行きましょう。そしてその「現場」で自分が何を感じたか、何を学んだかを脳裏に刻んで帰ってください。

ある人が言いました。「知っていることと、現場で体験したり話を聞くということは全然違う」と。そのように「現場」で自分の感覚器官で感じ取ったこと、自分の想像力やボクの話を重ねて作り上げたイメージをベースにして、さらに自分の知識、自分で集めた情報を合わせて自分の判断に仕上げてください。

新聞、テレビなどがこういっているからという風に流されないようにしてください。例えばボクのいっていることが「すべてだ」と

重要な現場の一つ「轟壕」の入り口

か、絶対正しいとは思わないでください。ボクは確たる資料に基づいて話しているつもりですが、これからの研究で修正しなくてはならないことがあるかも知れません。またボクの事実の整理の仕方にも異論がある方もいるかもしれません。

ですからボクの話に共感した点でも、自分で確かめてみてください。さらに疑問を感じたことを手がかりに、その点について自分で調べてください。ただその際、沖縄戦のデータには、研究によっていろんな数字があることは知っておいてくださいね。そうでないと混乱します。

また事実の整理の仕方（捉え方）についても、「果たしてどうなのか」と疑問をもちながら調べてみてください。整理の仕方は、その人の歴史認識に負うところが大きいということを理解しておく必要はあります。

そういう風にして沖縄で学んだことを、しっかり自分のものにしてください。

平和学習は今日で終わりではないのです。平和でないと勉強し、希望する仕事をし、愛する人と家族をつくり、楽しく暮らしていくことも出来ないのです。つまり平和学習はみなさんが生きている限り続く課題なのです。平和学習はここ沖縄から始まるのだと考えてください。

あっ！　もう第一の「現場」に着きましたね。では「自分は現場に来ているんだ」ということをしっかりと自覚して勉強しましょうね。

そしてジグソーパズルの一つのピースを、しっかりとパズル板に入れられるようにしましょう。

このホテルから南部戦跡へ向かう車中の時間は、乗車してガイドする場合の導入部であり、各ポイントの伏線でもあるのです。

2 ひめゆりの案内

さて「ひめゆり」に来ましたね。ここでのみなさんの目的は、あそこに見えるひめゆり平和祈念資料館に入って勉強することですが、資料館に入る前に三つの話しを聞いてもらった方がうまく勉強が出来ると思うので、まずここで話を聞いてください。

＊ひめゆりの塔とは、第三外科壕で何があったのか

最初のひめゆりの塔（右下）と第三外科豪で亡くなった人の名前を刻んだ新しいひめゆりの塔

ひめゆりの塔ですが、みなさんはどれがひめゆりの塔か、分かりますか。大きな碑は亡くなった生徒さんや職員の名前を刻んだ「刻銘版」で、ゆりのレリーフを含めて「新しいひめゆりの塔」といいます。あの碑の後ろ側には納骨堂があります。最初のホントのひめゆりの塔は、あそこに見える１メートルほどの石碑なのです。確認してくださいね。沖縄に来ることの

意味は、現場に立って自分の目で確認することでもあります。

その横に大きな口を開けているのが、第三外科壕として使われたガマです。このガマはみなさんがさっき入った（あるいはこれから入る）ガマと違って、壺状になっています。その形状が悲劇を呼ぶことになります。

ところでなぜここに「塔」があるのか。ここからすぐ近くの米須（こめす）海岸に、沖縄の人が「沖縄県の慰霊塔」として位置づけている、非常に重要な魂魄（こんぱく）の塔があるのですが、それを作った金城和信（きんじょうわしん）さんがこのひめゆりの塔を作りました。沖縄戦が終わって間もない1946年4月5日のことです。

なぜ金城和信さんがここに作ったか。ひめゆり学徒は沖縄師範学校女子部と沖縄県立第一高等女学校の合併隊ですが、教師18名と生徒222名が看護要員として沖縄戦に動員されました。生徒222名中123名が、教師は13名が亡くなっています。その内、42名（教師4、生徒38）がこの第三外科壕で亡くなっています。

しかも魂魄の塔を作った金城和信さんご夫妻の娘さん2人が沖縄戦で亡くなり、その内、下の娘の貞子さんがこのガマで亡くなっています。「ひめゆり」の犠牲者のなかで一番多く亡くなられた場所なのです。ご夫妻がここにひめゆりの塔という慰霊塔を作ったのは無理がないというか、必然性があると思います。

ボクなどは「慰霊塔」というのは、「『粗』にして野に立つ」べきだと思ったりするのですが……。

さてここで何があったのか。1945年6月にひめゆり学徒たちはこの辺り、最南部のいくつかの病院壕に追い込まれていました。そして6月18日、この第三外科壕にも「解散命令」が出ました。米兵が近づいて来たのでこの病院壕は閉じると……。

この辺りに撤退して来たころにも、すでに病院機能は果たしていなかったのですが、「みなガマを出て自由に親たちのいるところが分かればそこへ行け、そうでなければグループで敵の前線を突破して北部へ行け」と命じられたのです。

学徒のみなさんは驚きました。生徒さんたちは全県下から来た人たちで、この辺りの地理など知らないわけです。どうしよう、こうしようと話し合っていましたが、次の日の 19 日にはここへ米兵がやってきて、「投降」つまり捕虜になれと呼びかけます。

それに応答をしないでいると、３回のガス弾攻撃がありました。３回ですから、少なくとも３発以上のガス弾が投げ込まれたという意味です。ガス弾とは今から考えれば黄燐手榴弾（おうりんしゅりゅうだん）です。

普通の手榴弾とは違って、ガマから日本兵や住民を追い出すために使う兵器です。中に液体とも固体ともつかぬ「黄燐」という物質が入っていて、それが飛び散り、皮膚に付くと骨まで焼けていくといわれています。その黄燐手榴弾が爆発するとき、催涙ないしは窒息性の白煙が出ます。

ガス弾ということで、バスガイドさんなどが早い時期には「毒ガス」が投げ込まれたと話していた方がいました。今は正されていますが……。ボクらの研究では、沖縄本島での戦いが実質始まった中部の嘉数高台背面にある「チヂフチャーガマ」で、びらん性の毒ガス（化学兵器）が使われたのではないかと思われる証言が一つあります。しかし南部ではそういう証言はありません。

ボク自身が沖縄県の公文書館で探し出した米軍の機密文書（1945年５月 17 日付）には、米軍の最高司令官のバックナー中将名で「有毒ガスもしくは刺激性ガスは使用しないので、目標地には運搬しない」と書いてあります。

米軍が沖縄に上陸したのは、硫黄島を完全に抑えた後でした。つまり米軍輸送艦の多くは、その流れで沖縄へやって来ていると考え

85名が亡くなった第三外科壕。奥は刻名板。左はひめゆり平和祈念資料館

ていいでしょう。当然兵士たちは入れ替わっているでしょうが、米軍は硫黄島ではガマや地下壕にいる日本兵を追い出すのに使ったガス弾を、さらには毒ガスも沖縄へも持って来ていたと見てもいいでしょう。

しかし毒ガスが使われたという明解な証言、資料が見つからないので、「使用しなかった」と考えてもいいと思います。

ところで6月19日は3発以上のガス弾が投げ込まれ、ここに入っていた約100名の病院関係者・軍人や一部住民も入っていたそうですが、その内85名が亡くなります。そのなかで教師4名、生徒38名が「ひめゆり」の人たちで、「ひめゆり」の生存者は8名でした（沖縄戦が終わって生きていた方は5名）。その生存者のおひとりに2年ほど前に確認したのですが、「普通の手榴弾の破片などで亡くなったのではない」「自分はガス（白煙？）を避けるために、自分のおしっこを含ませた布を口鼻にあてていた」とのことでした。

近くの別の病院壕のウッカーガマでも、「ガス弾攻撃を受けたけど下に水も流れていて、空気の流通もあったので白煙をやりすごしたから大丈夫だった。ガス弾攻撃だけでは亡くなった人はいない」という証言があります。

ここはご覧のように壺状になっているため、多くは窒息死したのかも知れません。そういうことがここであったと考えて、資料館の第四展示室「鎮魂の部屋」（と呼んでいますが）、そこにこのガマのレプリカが作られていますから確認してください。

＊島袋淑子さんが背負ってきたトラウマ

二つ目は、戦後60年の2005年1月30日に島袋淑子館長（当時）、ひめゆり資料館、県立資料館の学芸員、ボクら平和ネットワークの８名で、「ある場所」を探しに行った時の話です。

その「ある場所」とは、沖縄戦を生き延びた島袋さんがトラウマとして残り続けていた場所です。それは島袋さんがこの近くの第一外科壕で解散命令を受け、海岸の方へ移動していた時の話です。摩文仁の丘の西側にある丘の海側を、東に向かって学友らと移動していました。引率の先生とはぐれたら落ち合うと約束していたところへ急いでいたのです。そこは背面が崖になっていて、前面は急斜面になっていました。そこで崖を背中にして横這い状態で移動していたのです。

崖上からは米兵が銃を下へ向けて撃っていて、その米兵の鉄兜が落ちて思わず笑ってしまったと島袋さんは言っていました。その崖下での話です。

この崖、これが一枚岩の崖で、ある場所が１・５メートル位の「くぼみ」になっていたところで、ふたりの少年と出会いました。９歳と７歳と言っていましたが、痩せていて７歳と５歳にしか見えませんでした。

「君たち何しているの？」と聞くと、「前の前の日におじいさんが出て行って帰ってこない、前の日にお母さんが出て行って帰ってこない。お姉ちゃんたち連れて行って」と足にしがみついて泣くのです。「お母さんがおじいさんを探しに行ったのでしょう、お母さんが帰ってきて、君たちがいなかったらどうするの」と説得して、乾麺包（今でいえば小さい堅いビスケット）を渡して移動した、とのことでした。

そのことが戦後何十年も忘れることが出来なかったといいます。少年たちはそこで亡くなったのではないかと、いつもこの時期になると体調を崩す、というのです。

戦後、島袋さんは教師となり子どもたちの教育にあたりました。そして後年、同時期に退職した同窓生らと「ひめゆり平和祈念資料館」の設立に一生懸命になりました。しかしいつか、その場所がどこであったかを確かめたかったのです。

戦後60年が経って、たまたまボクらが手伝うということもあって、その場所探しが実現したのです。島袋さんは講演会や資料館で、自分のかたわらで学友たちが、日本兵が、どのように死んでいったかという話はしていますが、少年たちに出会った、それをめぐる話は、ボクらは初めて聞いたのです。

草をかき分け急な道なき道を歩いて探しました。ボクより10歳ほど年上の島袋さんは、どんどん登って行きます。「島袋さんどうしてそんなに元気なのですか」とお聞きすると、「私は当時の17歳に返っているのよ」と言っていました。

その岩の「くぼみ」は大体この辺だった、といわれる島袋さんの指摘通りのところで見つかりました。

そこの土を掘りました。手伝った仲間の中に遺骨収集のベテラン

展示室で修学旅行生に説明をする島袋淑子さん（2017年4月21日／ひめゆり平和祈念資料館提供）

がいて、「ここの土は戦後初めて掘る土だ」ということなので、ボクらは下の岩盤に突き当たるまで掘りました。

何のために掘るのか。以前に遺骨収集団などが入っていて収骨が終わっていたら、そこに遺骨がなかったからといって、少年たちがそこで死んだのではないとは言えませんよね。初めて掘る場所で遺骨が出て来たら、そこで死んだのではという推測はなりたちます。一方、出てこなかったら、そこでは死ななかったと考えられます。ボクたちは一生懸命掘りました。遺骨は出てこなかった！

ボクたちは口々に、「少年たちはここでは死ななかったのですよ」と言ってあげたのです。

言ってあげたという意味分かりますよね。島袋さんが戦後60年背負ってきた苦しさ、辛さ、悲しさから解放させてあげたいと思ったからです。そこに遺骨がなかったからといって、そこで少年たちが死ななかったとは必ずしもいえませんが、島袋さんの気持ちを考えたらそう声をかけざるを得なかった……。

島袋さんはしばらく黙っていて、やおら「そう、そうだよね」と、自分に言い聞かせるようにおっしゃいました。ボクはその横にいたのです。

ボクはその時、「平和ガイドを辞めよう」と思いました。ガイドを始めて3か月位でした。島袋さんのトラウマはそのことだけではなく、人に言えない記憶を他にいくつももっている、それは「ひめゆり」の人だけでなく沖縄戦を生き延びた人たちも同じだと、初めてボクは気がついたのでした。

ボクは父親が沖縄戦に動員され（満州で召集されてその後に沖縄へ送られ）、この近くの真壁（まかべ）・真栄平（まえひら）付近で戦死していることもあって、復帰前から沖縄に来ていて、それなりに勉強していたと思っていました。沖縄に住み着いていろいろ資料を読み、何人かの証言を聞いて……、それだけで「平和ガイド」をやっているのが恥ずかしかった！　正直苦しかった！

それからしばらくして資料館で島袋さんにお会いした時に、島袋さんは「大島さん、私は少年たちはあそこで死ななかったばかりでなく、お母さんに会えたと思うことにした」と言いました。「思うことにした」の言葉にまた泣きました。島袋さんは無理矢理そう思おうとしていたのです。しかしそのとき、島袋さんの一つの戦後が終わったのかも知れません。

辛さに耐えながら体験談を語るなど、さまざまな活動に取り組まれている、その島袋さんの姿勢に励まされ、ボクは「平和ガイド」を続けることが出来るようになったのです。

そういう島袋さんたちがあなた方若い方に、自分たちがぶつかったいろいろな「死」をどう考えて、どう伝えるかを考えて、自分たちでお金を集めて作ったのが、これから入る「ひめゆり平和祈念資料館」なのです。

ただの資料館とは違います。亡くなった方、生き残った方々の想いがここにはあります。そのことを思って、心して入ってください。

ひめゆり平和祈念資料館

＊資料館でどう学べばいいのか

三つ目はひめゆり平和祈念資料館についてです。

資料館は第一展示室から第六展示室まであります。

第一はどういう教育を受けて軍国少女になったか――。

第二は動員されてどういう仕事をしていたか――。

第三は解散命令が出て、どう鉄片吹きすさぶ荒野を彷徨(さまよ)ったか、つまりどのように死んで行ったか。

第四が一番大事なところです。「鎮魂(ちんこん)の部屋」で、壁一面にＡ３サイズより少し小さい写真が掲げられています。亡くなられた生徒（職員も含め）の方々の写真です。そこには①名前　②年齢　③学年　④出身地　⑤どこでどう亡くなったか――ここの第三外科壕で亡くなった方なら「第三外科壕で米軍のガス弾攻撃によって死亡」と書いてあります。

また一家全滅で「不明」となっている方もおられます。その下に、これが一番大事なことですが、その少女がどんな人だったかを生き

第四展示室「鎮魂の部屋」で証言を読む入館者。壁面は亡くなった方々の写真
（ひめゆり平和祈念資料館提供）

残った方々が、一行か二行にして書いてあります。「スポーツの得意な人だった」「おとなしい裁縫好きの人だった」という風に。

その写真の少女、みなさんと同じか近い年齢の方々だったわけですが、そこに書かれている情報で、その少女がどういう方だったかを想像して、その少女と話し合って見てください。写真だからものを言わないと思わないで欲しい。みなさんは生きていて感性もあり、想像力もあります。この少女が今、自分に何を語りかけているかを考えることが出来ます。ボクはみなさんがそういう力をもっていると信じています。

ボクなど最近は彼女たちの写真に向き合うことが辛いです。「あなたたち、何しているの。今日本は再び戦争に向かおうとしているじゃないの！」と、激しくツメられている思いがします。

あるときここの証言者のおひとりが、一枚一枚愛（いと）おしそうに写真をなでながら話しているシーンにぶつかりました。その時、ボクは気がついたのです。自分たちは生きているから自分で語ることが出来る、だけど写真の方々は語ることは出来ない。だから写真に語らせているのだと……。

大分前ですがボクの仲間、民間放送の仲間を案内した時のことですが、ある人が「大島さん、辛くて全員とは語り合えなかった」と言いました。そうです、辛いです、重いです。だからひとりでもいいですから、彼女とちゃんと向かい合って話してみてください。

そしてその第四展示室の中央部には、生き残った方々の証言が大きなページの本になっていて、めくれば読めるようになっていますから、おひとり分でもいいですから読んで来てください。

もう一度いいますがこの第四展示室「鎮魂の部屋」が一番大事なところです。そこに時間を充てるように自ら時間配分をして回ってください。ボクの体験則によると、最低25分あれば出来ます。

ついでながらいいますが、将来また沖縄へ来られることもあるでしょう。その時に「前に入ったから」と言って、この資料館に来るのを、またこの部屋で写真と向かい合うことを止めるなどしないでください。

いま感じることは今のあなた方の捉え方、感じ方、つまり今のあなた総体の反映、「自分の照り返し」なのです。あなた方が大人になって、仕事を持って、結婚して、子どもをもったときには、さらには年を取って来たら、また違った感じ方で広く深く感じることが出来るでしょう。

別な観点からいえば、この部屋は自分の内面を再点検できる場所でもあるのです。「少女たち」と向かい合ってください。

ではみなさん、感性を研ぎ澄まして学んでください。

3 「平和の礎」を歩く

さあ、「平和の礎（いしじ）」の案内を始めましょう。ここでは沖縄戦の最終盤にここはどういう場所だったのか。いろんな方の亡くなり方を明らかにして、その中から何を学んだらいいのかを考えます。

ボクのフルバージョンの「平和の礎」案内は、次の９か所で話しています。一番無駄のない経路で移動します【次頁地図参照】。

１、「沖縄工業健児の塔」。工業学校生がどのように沖縄戦に動員され、どのように最後を迎えたか。さらに1945年6月20日にここで何があったのか。

２、「ガジュマルの木」がある場所。遺体の焼却場、遺体の集積

沖縄戦50年記念事業として建てられた「平和の礎」

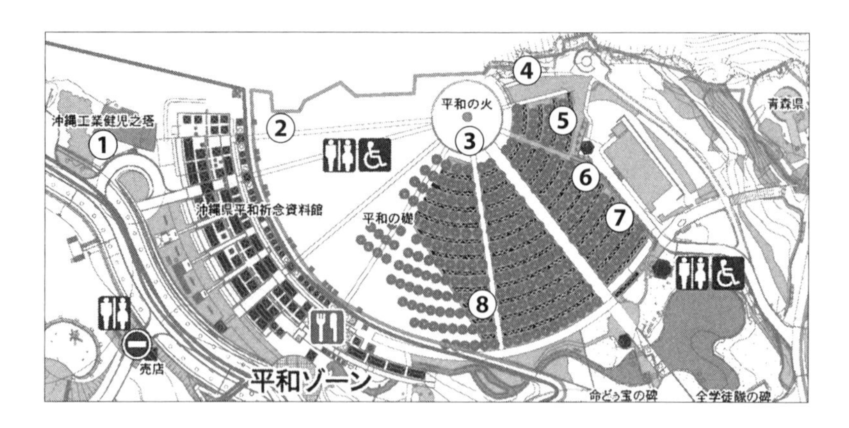

場があったという話。

3、「平和の礎」の中心点にある「平和の火」。池の意味するものは何なのか、あの戦争の始まりは……。

4、「ギーザバンタが見える丘」。最後に追い詰められた人々がどうなったのか。現在の「礎」の場所はどういう場所だったか。

5、「米兵のエリア」。ハンセン二等兵、シュワブ上等兵の話と、「落ちこぼれ防止法案」からとりわけ日本の学生、教師は何を学んだらいいのか。

6、「朝鮮半島の人たちのコーナー」。当時の朝鮮半島の人の扱いはどうだったのか。447名という数の少なさの意味するものは——。

7、「日本軍兵士の刻銘板」。私的経験と感想を述べます。

8、「沖縄県民のエリア」。沖縄県民がどう亡くなって行ったのか。それらから何を学ぶかについての話を聞いてもらって、県立平和祈念資料館に入るといいう段取りです。

移動経路は無駄がないように考えてありますが、出来れば早足で移動してくれたら助かります。

9、番外として「対馬丸の兄弟姉妹」の話をします。

さあ、歩き始めましょうね。

①沖縄工業健児の塔

時間がある場合、ボクはここから「平和の礎」の案内を始めています。

工業学校生がどのように沖縄戦に動員され、どのように最後を迎えたか。なぜ沖縄工業の生徒の犠牲率が高いのか、そして1945年6月20日にここで何があったのかを語ります。

まず沖縄工業の生徒は94名が学徒兵として動員されて、うち85名が亡くなっています。他の中学校――沖縄師範学校や県立第一中学校、師範女子部、第一高等女学校（いわゆるひめゆり）などですが、犠牲者率は50～60%です。ここの沖縄工業は90%が亡くなっているのです。

それはなぜか。そもそも工業学校では初歩的ですが戦争に役立ことを学んでいます。測量とか建設とかに繋がることを学んでいます。この点が沖縄師範学校などと違うところです。つまり戦争に役立つのです。だからその目的で動員されます。

多くは弾薬運びとか、食料運びとして動員されたのです。

表向きは無線班、有線班としてです。無線班の役割は洞窟からアンテナを出して通信する。もっともモールス通信術というのは1か月や2か月で会得することは出来ません。ボク自身が第一級無線通信士という元プロですから確実なことです（笑）。

とすると無線班に配属された生徒は、主に受け取った通信の内容を司令官など幹部に届けることになります。

また通信線は地上に展開されます。それが猛烈な砲爆撃にさらされ、いつも断線状態だったと思います。ですから有線班は地上に出て通信線を再度地上に展開しなければなりません。

これが通信班に属する学生、兵士の死亡率が高くなった原因の一

沖縄工業健児の塔

つでもあります。

さらに通信班というのはどこにいますか。

通信の発信点、受信点、その双方とも司令部です。これが沖縄工業学徒に最後まで解散命令が出なかった理由でもあります。

他の中学校、女学校には6月18日頃に解散命令が出ているのにです。司令部関連の将校、兵士たちは最後まで闘うということになり、「斬り込み」に出て行き、それに同行を強制されるという事情もあったでしょう。

これらの総体で90%と、沖縄工業学徒の死亡率が高いわけと考えていいと思います。この場所のすぐ下は急斜面になっていて、その辺りにはガマが残っていますが、そこには今でも当時の無線機用の乾電池などが見つかります。

26名ぐらいの学徒がこの付近で亡くなっています。

ところで沖縄工業の生徒の話から少し外れるのですが、ここは6

月20日に日本兵による「虐殺事件」があった現場です。

瑞慶覧長方さん（当時小6、後に沖縄県議会議員、沖縄社会大衆党委員長）のここでの証言をまとめたものです。

【この辺りに逃げて来ていたボクたち5家族20名がいました。

6月20日の朝のことです。不思議と弾が一発も来ない。6時半か7時頃でした。丘の向こうに上半身裸の人が2～300人並んでいる。よく見ると米軍だった。すると向こうからひとりの人が白い旗を持って、パンツだけでやってきた。中年のおじさんだった。私たちの後は絶壁で、そこに追いつめられて袋の鼠になっている。それなのに、追いつめている米軍側から白い旗を持った人が来る。どう見てもおかしいが、それは30代半ばの沖縄の人だった。

彼は私たちのところにやってきて、「私は捕虜になった」という。捕虜になったら男は股裂きとか、生爪を剥ぐとかいわれていたが、「そんなことはない。捕虜になっても衣食住ちゃんと支給して保証されるから心配ない。私が旗を持って、みなさんを誘導するから」と言って、「男の人はフンドシかパンツだけになって、女の人は着ているものだけでいいから」と、我々を助けようと説得した。そのとき、岩に隠れていた日本兵3名が抜刀したまま飛び出してきて、「スパイ野郎」「売国奴」「キサマみたいな人間がいるから日本はこうなるんだ」と言って首を斬ってしまった。虐殺ですね。

毎日何千、何万という死体を見ていても、生きた人間を目の前で殺すという残虐はもうどうにもならない。血が凍るという表現がある。生き地獄とか修羅場とかいろんな言葉があるが、どれをとっても表現はできない。

それは本当に生き地獄です。その人の言うことを聞いてひとり裸になった人を、その3名が追いかけていってまた殺る。

この一部始終を米軍側は5～600メートル離れたところから双

日本兵による住民虐殺があった現場で当時の様子を語る瑞慶覧長方さん（2013年10月22日、糸満市摩文仁／琉球新報社提供）

眼鏡で見ている。最後に残った人間を何とか助けようとしたが、こうして派遣した人までやられた。これでもうだめだということで、米軍はもう集中攻撃です。10分も経たないうちに、ありとあらゆる弾を全部放った。生きている人間もそれで死んでいく。

最後は火炎放射器で、30メートルか40メートルも火の球がばあっと焼いていく。全部。もう生きた人間、死んだ人間、草も木も何も全部焼いていく。後ろは絶壁ですからどうしようもない。追いつめられたほとんどが死にました。

生き残った私たちは、火の球に追われて絶壁を降りた。20メートルか25メートルぐらいあるでしょうか。平和の礎に行かれた方は分かると思いますが、海に突き出たあの断崖絶壁です。そこを降りて岩の間に隠れたのです。】

もう一つ、瑞慶覧さんの証言です。

【手榴弾（しゅりゅうだん）の使い方を教えて、何が軍命がないと言うのか！

自決する場合と、相手をやっつける場合の手榴弾の使い方も教えられていました。安全ピンを歯で抜いて、信管の頭を叩いて、一、二、三で投げたら相手をやっつける。

自分たちが自決する場合は、信管を抜くまでは同じですが、あとはポンとたたいて、みんなでこうして抱き合って、手榴弾を持っている人は自分の胸に当てて爆発させる。そうすると5、6名は間違いなく自決できると……。

これは全部教えられている。これで軍命がなかったというのでしょうか。】

この塔の周辺、数年前にコンクリートで張ってしまいました。ボクなどはそのままの土の状態でおいて欲しかった。そうでしょう。土のままでおいておくことによって、その土が当時の惨劇の「血」を吸った現場が残るのです。

そこでの惨劇をイメージ出来るのです。これからは現場に語らせる時代なのです。

②「ガジュマルの木」がある場所

ボクは「沖縄工業健児の塔」から「平和の礎」へ行く間に時間があれば、この「ガジュマルの木」がどういう場所なのかを話しています。ここは遺体の集積場、焼却場だったんです。

そしてこのガジュマル付近で、仲間のガイドがよく「また見つけたよ」と銃弾や小さな破片を見つけてきます。なぜこの辺りで銃弾や砲弾の破片がよく見つかるのでしょう。

まず日本兵の証言ですが、ここで亡くなった日本軍兵士を荼毘(だび)に付していた、つまりここで遺体を焼いていたというのです。

また先ほど入った（あるいはこれから入る）轟壕に入っていた安里要江(としえ)さんの証言で、安里さんたちが轟にたどり着くまで、この辺りを彷徨(ほうこう)していたときのことですが、この付近には遺体を積み上げてあったというのです。

沖縄県民の死の態様を見ると、南部の一つの村・東風平村(こちんだそん)（現八重瀬町）の死者の約90%の方が「被弾死」となっています。「被弾

銃弾や砲弾の破片が今も見つかる「ガジュマルの木」周辺

死」というのは銃弾が当たって死ぬ、あるいは砲彈、爆弾の破片が当たって死んだということです。

この数字は東風平村民だけに適用される特殊なものではありません。同じ南部の他の町村にも適用されるものと考えてもいいでしょう。

弾が当たって傷つき死ぬには二つの形があります。一つは「貫通銃創」、銃弾、破片が身体を突き抜ける。もう一つは「盲貫銃創」で銃弾、破片が身体の中に止まっていることです。

近くから速度、力をもって突き抜ける場合は貫通するのですが、そこまで力がない場合は盲貫銃創となります。この割合がどの程度であるかは分かりませんが……。

どちらにせよ遺体にかなりの割合で、銃弾や破片が身体に止まっているわけです。

それを総合的に考えれば、この辺りに亡くなった方の遺体が焼けていく、積み上げられている遺体が腐っていく過程で、身体に食い込んだ銃弾、破片が下にこぼれ落ちたと考えてもいいでしょう。

それがこの辺りで銃弾、破片が見つかる、つまり密度が高い理由と考えても、あまり間違いはないと思います。

なぜ90％もが被弾死したのか――仮にガマや防空壕に入ってい

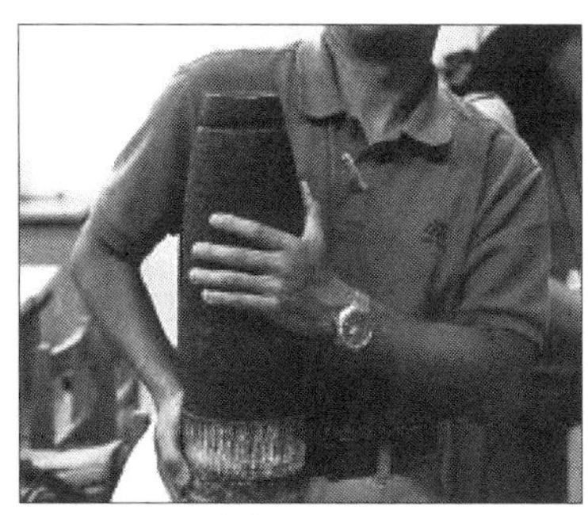

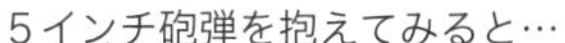
5インチ砲弾を抱えてみると…

見つかったＭ１ガーランドの銃弾

たら、多くは被弾死はしません。

ということはこれらの人々の多くは壕から壕へと移動していた、あるいは追い出されてしまって被弾死したと考えてもいいと思います。

ここは多くの人がそういう葬られ方をされた場所と考えてください。

ある男子校を案内していて、ここから「平和の火」へ移動するときに、一人の生徒が「これ何ですか？」と問いかけて来ました。それがこの弾丸（銃弾）です。米兵たちが使っていたＭ１ガーランドという半自動式の小銃の銃弾です。

「君はそれを何処で見つけた？」と聞くと、「大島さんが説明していた、その場所です」と。ボクが説明していた場所から、Ｍ１ガーランドの銃弾が見つかったのです。まさにボクの説明の物証そのものだったのです。

「よく見つけたね。しかしそれを持って飛行機には乗れないから、これはボクが預かっておくよ」と、没収したままになっています（笑）。ボクが話したその場所から見つかった物証として、いつも小銭入れに入れて持っています。

何といっても現物を見る、触れるということが、沖縄で学ぶポイントでもあるのです。

では次のポイント、「平和の火」へ移動しましょう。

③「平和の礎」の中心点にある「平和の火」

ここが「平和の火」です。点火されたのが1995年6月23日の「平和の礎」の除幕式が行われた時です。

「広島の原爆の火」「長崎の原爆の火」と「沖縄戦で米軍が最初に上陸した慶良間（けらま）諸島の阿嘉（あか）島の火」の3つが合わされて点火されました。

この道がセンターラインなのですが、ラインと「平和の火」と結ぶ線を延ばした海上に、6月23日の朝日が昇ります。

ところでこの噴水の池の中の地図は何を表しているのでしょうか。

ボクらの仲間（大阪大学大学院准教授）の調べによると、構想した人が考えたのは「大東亜共栄圏」を示しているということでした。そして、その円心は「大東亜共栄圏」の中心に当たります。かつての侵略ラインに対するアンチテーゼとして「平和の火」は、その中央にあるわけです。

ある意味では暗号のように埋め込まれたメッセージと解していいと思います。

1995年6月23日に点火された「平和の火」

しかし日本が目指した「大東亜共栄圏」を意味するとしたら少し狭いですね。

ここにいい図があります（「軍事郵便施設の広がり」）。これはアメリカの「National Geographic」Magazine（日本語版）に載っていた図です。

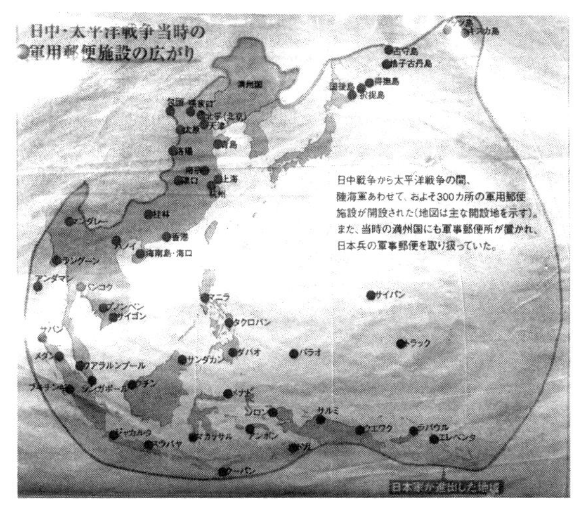

軍事郵便施設の広がり

戦地に行った兵士と家族が文通するための施設（といっても担当者がいるだけでしょうが）、その軍事郵便施設を結べば、その内側が日本軍が支配していた領域になります。これが「大東亜共栄圏」を一番わかりやすく、かつ客観的に示す図です。

日本軍が相手国とドンパチやっている最前線に軍事郵便施設を置くはずはありません。少し引いた安定したところに郵便施設を置きますよね。

これが軍事郵便葉書です。沖縄に派遣されていたボクの父親からボクに送られてきたものです。

昭和19年9月5日の消印があり、郵便切手は3銭です。ボクの父親が満州国新京市から軍隊に駆りだされたのが同年3月9日。沖縄へ送られたのが8月中旬ですから、沖縄へ配置されて間もないころの葉書です。

軍事郵便は往復とも、部隊長による検閲がありました。この葉書には検閲によって黒く塗られていませんが、封書などは何ケ所か黒

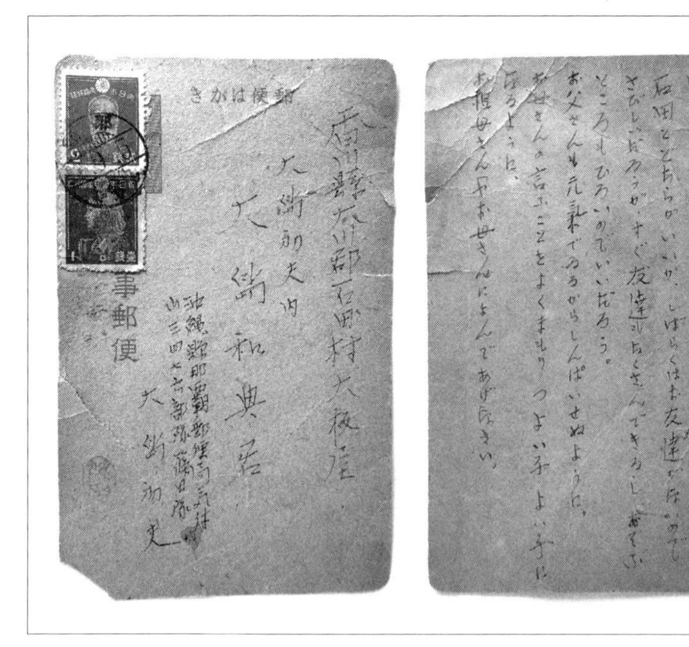

和男よ元気か、おばあさん、おぢいさん みさ子もかわりはないか、もう石田へかへってゐることゝ思ふ。新潟と石田とどちらがいいか、しばらくはお友達がないのでさびしいだろうが、すぐ友達がたくさんできるし、あそぶところもひろいのでいいだろう。
お父さんも元気でゐるからしんぱいせぬように、
お母さんの言ふことをよくまもり つよい子よい子になるように、
お祖母さんやお母さんによんであげなさい。

沖縄へ配置された父から大島和典さんに届いた軍事郵便葉書

塗りの箇所がありました。さらに部隊長の筆跡で、書き込みがあることもありました。

「軍事郵便施設の広がり」が昭和18年ぐらいから縮められ、ついには沖縄が戦場にされていったわけです。

それでは右の小高い丘へ上がりましょうね。あそこからはギーザバンタがよく見えます。沖縄戦末期にここの場所はどうなっていたのか、どう使われていたかをお話します。

④ギーザバンタが見える丘

あの特徴ある岬をギーザバンタと呼びます。ギーザというのは、あの岬の向こうにある集落（慶座(ギーザ)集落）の名前です。バンタはウチ

米軍が「スーサイド・クリフ」と呼んでいたギーザバンダ

ナーグチ（沖縄言葉）で崖という意味です。ここがあの特徴ある岬を見るのには一番いい場所です。

お天気がいいときはここの景色は綺麗ですから、多くの生徒さんたちが「キャー！」といって写真を撮り始めます。

ボクはいつも「ちょっと待って。ここがどういう場所だったのか、それを聞いた上で、写真を気軽に撮っていいところかどうかを考えてみて……」といいます。

ここが戦場になったのは沖縄戦最終盤ですから、米海軍は多くの艦艇をこの海に集めていました。米軍はあの岬を「スーサイド・クリフ」と呼んでいました。スーサイドは自殺、クリフは崖。つまり「自殺の崖」と呼んでいたのです。あの崖から多くの人が自殺をしていたというのです。ギーザ集落の人は「人がこぼれ落ちるように落ちていた」と言っています。

必ずしも崖から落ちる人がすべて自殺の意思があって「飛んでいた」とは思いませんが、あの崖の上やこの辺りもそうですが、大勢の人がいて米軍から攻撃されたら押されて落ちることもあったでしょう。

アメリカ軍は崖の上から、海上から攻撃していたのです。大きな岩の陰や、この崖の窪みなどに隠れて、多くの人は攻撃をさけていたのです。この下にこの辺り唯一の井戸（湧き水）があります。水を求めてそこに集まる人たちの死体がたくさんあったそうです。

ここに「米軍の小舟艇で投降を呼びかける」、こんな写真があります。この稜線からいっても、この近くの海上から当時米軍が撮ったものに違いありません。またこの投降を呼びかけている人は、先に捕虜になった沖縄の人でしょう。

投降を呼びかけるのには、やはりウチナーグチが必要です。標準語とか、二世や米兵たちの喋る下手な日本語では県民は信じません（沖縄県系の二世もいたでしょうが……）。沖縄の人がウチナーグチで「戦争は終わったようなものだから投降してください」と呼びかけて、初めて投降してくる人が出てきます。

「男性はふんどしで、女性は衣服を着たままで、船に来てください」と、呼びかけるたびに何人かが出てくるのです。白波が舞っている部分がリーフが切れているので、そこまで米軍の小舟艇が近寄ります。

投降する人はリーフを歩いて捕虜収容船に近づこうとします。それを後ろから日本兵が撃つ。ここからさらに西へ行った荒崎海岸までの一

最南端に追いつめられた人たちに、投降を呼びかける米軍の小舟艇（沖縄県平和祈念資料館提供）

帯で、そのようなことが起きたのです。

リーフのタイドプール、潮だまりが真っ赤になった（実際は茶色でしょうが）という証言もあるのです。

この周辺は「平和の礎」になって綺麗に整備されていますが、沖縄戦ではこの辺りは捕虜になった県民、住民などを集めたところでした。

ここで捕虜になった南風原春子さん（当時９歳）の証言です。

【……そしたらみんな遺体ですよ。腐っているのもあるし……みなもう、こんなに腐って膨れあがって、アメリカの弾がいっぱいあって、人の骨が山積みされていて、足の踏み場もないほど……】

そういうところなのです。捕虜となってこの摩文仁集落に集められるのに、つま先立ちで移動しなくては、人々の遺体を踏んでしまうほどだったという、梯梧学徒隊の話も近くの現場で聞きました。

摩文仁の丘辺りは今はサトウキビ畑があるのですが、戦後８年経って鎌とカマスを持って、遺骨収集に行った又吉元亮さんの証言です。

【……口笛が聞こえるのです。こんなところで口笛を吹く奴がいるなと思っていると……白っぽいものが見えるのですね。それが頭蓋骨なのです。……目とか口とか穴の開いてるところに潮風が当たって、ヒューヒュー鳴るんですよ。それがね、口笛のように聞こえるもんだから、呼び寄せられるようにして、遺骨をとるんですね】

ここにも見えますが海岸にはアダンという木が多くあります。沖縄戦の時、その木は砲爆撃で吹き飛ばされています。そこに遺体が乗っていて、戦後８年経てば木が伸びてきて、遺体が持ち上げられます。そしたら頭蓋骨の位置も高くなり、風が眼窩を吹き抜けて行くようになりますよね。それで口笛のような音がしていたのです。

沖縄には「火花」の又吉直樹をはじめ、５名の芥川賞の受賞者がいます。又吉の前の受賞者に目取真俊(めどるましゅん)という元高校教師の作家がいます。「風音」という小説があります。本土から飛んで来た特攻隊員が頭を射抜かれて、遺体が波間に漂っていたのを地元の集落の人が哀れに思って、たぐり寄せて岩陰に安置します。やがてそれが風化して、頭蓋骨の弾痕を吹き抜ける風によって音がするようになります。

ボクは「風音」は読んでいるのですが、それは小説の世界だと思っていました。が、それは現実にあったのです。この辺りはこういうことがあった一帯だったのです。

ここでそんな話をして「沖縄では気軽に記念撮影出来るところ、そうでない場所があることが分かった」という、鋭い女子生徒もいました。

⑤米兵のエリア

ここが米兵のエリアです。なぜ米兵の名前を刻んだ「石碑」があるのでしょう。ここは世界に類のないメモリアルなのです。

アメリカにはバージニアのアーリントンとかハワイのパンチボールとか、自国の兵士だけの墓地はあります。墓地ですから墓標には名前が刻まれています。沖縄のこの「礎」には沖縄戦に絡んで亡くなった方々の名前を、敵味方なく刻んであります。「敵味方関係なく」という点で類のないメモリアルと言えるわけです。

沖縄戦で米兵だけでも約1万2500名が戦死しています。この「礎」はいったん戦争が始まると、敵味方なくこれだけの人が亡くなるのだよということを、心に刻んで伝えていくことも目的に作られたのです。

ただし「敵味方関係なく」という点に、こだわりをもつ方もおられます。アンネ・フランクとアドルフ・ヒトラーの名前が一緒に刻まれているに等しいとか、沖縄の日本軍最高司令官だった牛島満中将の名前が、彼の命令のために亡くなった沖縄県民や日本軍の兵士の名前が、同じ「礎」に刻まれていると疑問をもつ方もいます。どう考えたらいいのか、ここで考えてみてください。

ここにデイル・マーリン・ハンセンという名前があります。ハンセンが姓ですが、探しやすくするためにハンセンが頭に書かれています。ハンセンといったら何か思い当たりませんか。

そうですキャンプ・ハンセンですね。米軍は沖縄の海兵隊の基地に、占領軍として彼らの仲間である沖縄で戦死した兵士の名前をつけているのです。

デイル・マーリン・ハンセン二等兵は22歳、1945年5月7日に計12名の日本兵を殺して勲章を受けていたようですが、その後、彼は死んだからここ「礎」に名前が刻まれているわけです。

ついでにいうと、新基地建設反対の現場としてで注目されている

デイル・マーリン・ハンセン二等兵の刻銘

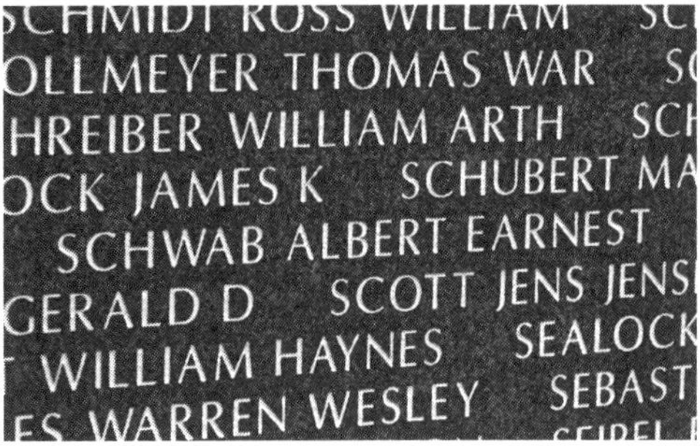

シュワブ基地の名前は、アルバート・アーネスト・シュワブ上等兵の名前から付けられているのです。

アルバート・アーネスト・シュワブ上等兵の刻銘

ところで米軍も「平和の礎」を活用しているのです。どう使っているのでしょう。

6月23日の「慰霊の日」以外にも、ここを訪れる米兵（特に海兵隊員）がいます。今までボクは二回ぶつかりました。

最初はこのハンセンの名前のところで、数人の若い海兵隊員がウロウロと何かを探しているので、「何を？」と聞くと「ハンセンの名前」と言うので教えてやりました。今考えてみると、「なぜハンセンの名前を探しているのか」を聞くべきでした。

もう一回はここから少し離れた花屋などの売店があるあたりで、海兵隊員のグループとぶつかりました。そのグループにはガイドが付いていて、何かレクチュアしていました。仮にボクらを「平和ガイド」というならば、彼らは「戦争ガイド」と呼ぶべきです。

ボクは英語はあまり得意でありませんが、聞いていたら何を話しているかは単語や感じで分かります。つまり「戦争ガイド」はハンセン、シュワブなどの沖縄戦での奮闘ぶりを説明し、その結果勲章をもらった。君たちも先輩たちを見習って頑張れ！　と言っているようでした。

米軍はそういう目的でこの「平和の礎」を使っているのです。まあ「礎」の「靖国化」を狙っているというべきで、これには腹が立ちました。

米兵エリアで開かれた米軍関係者のセレモニー

「平和の礎」や宜野湾（ぎのわん）市の嘉数（かかず）高台で出遭う米軍兵士は、ほとんど海兵隊員で高校を出たてのような若い連中です。彼らをどのようにリクルートをしているのでしょうか。

ベトナム戦争当時は、アメリカは徴兵制度でした。それに抵抗した反戦運動が盛んになり、結局アメリカは敗北しました。それで徴兵制度は止めとなりました。その頃のリクルーターは格好いい制服姿で街へ出て、軍隊へ入らないかとリクルートをしていました。

まあこれは魚がいるかどうか分からない海に「投網」を打って、「一匹入っていた」かの情況でした。そこへ現れたのが「落ちこぼれ防止法案（No Child Left Behind Act）」です。これは2002年春（あの9・11の翌年）に、当時のブッシュ大統領が署名した法案です。どんな法律なんでしょうか！

ご存知のようにアメリカの正式国名はアメリカ合衆国ですが、正確には「合州国」、つまりユナイテッド・ステーツ・オブ・アメリカですよね。州によって死刑制度も違うし、教育制度も違います。それが全体としての学力を低下させる原因になっているとして、9歳（小学生）、13歳（中学生）、17歳（高校生）に全国一斉の学力テスト（英語、数学、理科など）を実施するという法案です。

その結果、良い成績を出した学校にはボーナスを、悪い学校には助成金の削減、全額カット＝廃校にする。結果の悪い学校の教師は降格、免職とするものです（米国は、大筋は教育も民営化、多国籍化が進んでいます）。

この法案を通すときに滑り込ませた項目がありました。それは全米の高校生の個人情報を軍のリクルーターに提出すること、拒否すると助成金をカットするというものです。その法案の真の狙いは「個人情報」なのです。「個人情報」とは生徒の名前、住所、親の職業、市民権の有無、携帯電話番号です。

これで軍のリクルーターには、どこにどんな生徒がいるのかが分かってしまうのです。

アメリカの人口は3億2000万人以上です。オバマ政権時代に医療保険加入を義務付けるオバマケアが始まりましたが、トランプ政権は廃止へと動いて加入義務はなくなり、2020年には約2750万人が医療保険に入っていません。

それに対して軍隊に入ると、兵士用の医療保険に入れます。家族も兵士用の病院で治療が受けられます。さらに大学の学資を受け取れます。

そして市民権を与えます。毎年8000人の非アメリカ市民が入隊していますが、2020年4月には100万人いるといわれる不法移民は、米軍にとって「宝の山」です。

このような甘い餌（実は大した餌ではないのですが）で青年を釣っているのです。釣られた高卒者などが海兵隊に入り、沖縄へ来て「殺人者」になる訓練を受け、世界にばらまかれているのです。

「礎」を案内した学校の先生から、先日メールを頂きました。その方は2005～06年に「ネバーアゲインキャンペーン（NAC)」という日米合同の草の根ボランティア平和大使として約１年間、アメリカで平和活動をしていた方で、現地で日本文化の紹介や原爆被害についてプレゼン活動をしていたそうです。

ある時、ひとりのお母さんからホームステイ先にプレゼン依頼の電話がありました。小５の男の子が学校から帰ってきて、「お母さん、うちって僕が大学に通うためのお金があるの？」「もしなければ、自分で何とかするよ」「僕、高校を卒業したら兵隊になるよ。兵隊になれば国が大学のお金を出してくれるんだって」と言ったそうです。

小学校にまで軍のリクルーターが来ていることに恐怖を感じたお母さんが、「反核、反戦の立場からプレゼンをして欲しい」という依頼だったそうです。

その先生がホームステイしていた家庭は、お父さんが大学の先生で、平和学を教えていました。お父さんもお母さんもクエーカー教徒ではありませんでしたが、クエーカーミーティングに参加していました。

クエーカーの人たちは、子どもが小学校へ入学すると同時にファイルを渡し、平和活動に参加した記録をファイリングするよう進めていました。もしも徴兵制が復活したとき、子どもたちは「僕は小学校のころから平和について考えていて、暴力はなんの解決にもならない」と言って、ファイルを提出すれば入隊しなくてもよくなるということだそうです。つまり良心的兵役拒否です。

アメリカでは徴兵制度がなくなっても、男の子は18歳になると郵便局に行って住民登録をしなくてはならないそうです。再び徴兵制度になった場合、すぐ召集令状を出せるようにしているようです。住民登録をしないと住宅ローン、奨学金、銀行からお金も借りることも出来ないそうです。

これは日本でも同じになっているのではないでしょうか。直接的な徴兵制ではなくても、格差が拡大され経済的徴兵制といわれる事態も起きています。そして「安保法制法」が通り、ますます自衛隊が米国の傭兵となって世界規模で出て行くのです。

自衛隊もリクルーターが高校生、卒業生の情報を集めています。「二度と教え子を戦場には送らない」——戦後の先生方の「誓い」に反するのではないでしようか。

次は「朝鮮半島の人」のエリアに移動します。すぐ近くです！

⑥朝鮮半島の人たちのコーナー

ここが朝鮮半島の人のエリアです。どうぞ日陰に入ってください。

なぜボクが韓国人、北朝鮮の人と呼ばないのかから始めましょう。

沖縄戦が起きたときに朝鮮半島は「朝鮮」だったのです。1910年から45年まで日本が支配していた、つまり日本の属国だったのです。ここ「平和の礎」は沖縄県出身者だけは沖縄戦だけでなく、1931年の満州事変から始まって沖縄戦に至る15年間の戦没者の名前が刻まれていますが、他の国については沖縄戦の間に亡くなった方々の名前が刻まれています。

沖縄戦が1945年に終わって「朝鮮」は日本のくびきから解放され、3年後に北と南でそれぞれに独立したのです。ここに刻まれている方々は沖縄戦で亡くなったのです。その時は「朝鮮」だったわけですから、「朝鮮半島の人」と呼ぶのが正しいと思います。それがボクが「朝鮮半島の人」と呼ぶ理由です。

ところで沖縄戦の時、沖縄に何人の朝鮮半島の人がいたのでしょう。正しくは「連れて来られていたか」でしょうか。

朝鮮半島の人コーナーで説明をする大島和典さん（左）。
奥の刻銘板はまだ刻銘されていない部分が並んでいる

ボクの知り合いの研究者の話では、1万3000～4000人がいたということです。これは1992年の九州弁護士連合会のシンポジウムで発表された数字だと言っています。日本軍の将校らが書いていた「陣中日誌」などをもとに追跡した結果とのことです。

「内地（日本本土）に行ったら稼げるよ」とだまされたり、軍夫として半ば徴用される形で「連行」された方もいます。女性の場合は、拉致されて「従軍慰安婦」として働かされるということまであったのです。

沖縄戦が始まる前の年には、沖縄にいた朝鮮半島の人は88人だったといいますから、一年間で1万3000～4000人にもなるということが起きたのです。沖縄でゴールドラッシュが起きたのでしょうか。またほかの理由で沖縄は稼ぎ所として魅力あるところだったのでしょうか。

沖縄はご存知のように戦前、戦中、戦後を通じて県民所得は最低でした。出稼ぎに行くのでしたら本土の関西とか関東へ先に行っていた親戚などを頼って行くでしょう。つまり「連行同然」に沖縄へ連れて来られたといってもいいと思います。

では、沖縄戦が終わって何人が生き延びたのでしょうか。

一つは米海軍の調査では 1587 人。

一方、米民政府（琉球列島米国民政府）は「1755 人が本国へ帰った」と発表しています。

2000 人としても、では何人の朝鮮半島の人が沖縄戦で亡くなったのでしょうか。１万 1000 ～ 2000 人が亡くなったことになりますね。

別のデータもあります。韓国人慰霊塔奉安会『鎮魂』（1998 年復刊）には、日本軍閥により犠牲になった軍人、軍属、女性挺身隊、住民は２万人余だったとあります。

ところがここに刻まれているお名前は 464 人（2020 年６月現在）です。どうしてこういうことになるのか——。ちなみにここには「従軍慰安婦」といわれていた方の名前は、ひとりもいません。

１万人以上が亡くなっているのに、なぜ刻銘者は 464 人なのでしょうか。

理由は三つほどあります。

一つは国、沖縄県が調査をサボっているのです。

1995 年にこの「平和の礎」が建立されたのですが、それに先だって県は国、当時の厚生省に朝鮮半島出身者の亡くなった方のリストの提供を求めました。しかし国は「ない」「調べることもしない」と、にべもなく断りました（結果的に国は 454 名の名簿を出しました。これは 464 名と妙に符合しますが、実態は違います）。そんなこと許されますか。

沖縄戦の時には朝鮮半島は日本の植民地、属国だったのです。としたら日本の責任で調べるべきでしょう。

1995年に「礎」が建立された時に刻銘された韓国の戦没者は51名。その後、韓国の国会図書館にあった500名ほどのリストを基本に、明知大学のホンジョンピル教授やゼミ生及び沖縄県が調査して、2005年で344名の刻銘になりました。

それ以降は個別に判明したケース、ノムヒョン大統領時代の「親日反民族特別法」で判明したケースなどです。

北朝鮮の場合は、建立に向けて朝鮮総連沖縄支部から申請のあった82名だけです。これは少ないという意味ではありません。

この「礎」を造ったときの沖縄県知事は大田昌秀さんでした。いわば革新系の知事でした。ところが大田さんはその3年後（1998年）の知事選で負けてしまいます。引き継いだのが稲嶺恵一さんという自公路線の知事でした。大田さんの在任中に、ホンジョンピル教授に刻銘者の追加調査を依頼していたのです。この「礎」が造られたのが1995年です。その後、すべてがホン先生の調査によるものではありませんが、増えてきました。

それに対して稲嶺知事の2期目の時に、理由の分からない感謝状を贈って、それ以後の調査を打ち切ってしまいました。それ以降、刻銘はあまり増えていません。保守の方々は、口では「平和」と言いますが、サボります。ボクらが迫って行かなくては、本気になって平和行政を進めて行きません。

大田さんだからこの「平和の礎」は造れたと言ってもいいでしょう。

理由の第二、最大のものは創氏改名です。

昭和15（1940）年に日本は朝鮮の法律を変えさせて、皇民化政策の一環として、朝鮮人の姓名を日本風に変える「創氏改名」を迫ります。その結果一年間で8割の人が強制的に、自発的に「氏を創り名前を変え」ます。

たとえば金さんは（いくつかの金系統がありますが）、金田、金井、金本、金川など、日本に元からあるような名前に変える。朴さんなら木と卜に分けて木戸さんに変えるなどしました。

朝鮮族の姓の部分は（金さん、朴さんなど）は氏を示す姓ではなく、一族の呼び名なのです。学術的にいえば、氏族名（CLAN）なのです。朝鮮族の方々は「本貫（ほんがん）（ある姓をつくった始祖の出身地）」といって、男性の系図に書き込まれていきます。沖縄でいえば「門中」に近いといったほうがいいでしょう。

従って結婚しても女性は姓の部分の呼び方が変わりません。子どもは男女とも父親の「本貫」に入ります。

なぜ「創氏改名」を強制したのか。それは姓を氏にして、宗族的集団を解体し、天皇制国家体制の基礎である日本式「家」制度＝家父長制にする、つまり「家」の中で父親が全権をもつ、妻や子はその父親に従うことによって、戦争への動員をはかることをめざしたのです。「内鮮一体」。内地と朝鮮が一体となって、あの戦争を乗り切ろうとしたのです。

この「礎」には二つの大原則があります。それは本名で刻む、二つ目は家族の了承を得ることです。これは「礎」のみならず、多くに碑には大事なことです。

まず本名が分からない──、これが多くの朝鮮半島の人の名前が刻まれていない最大の理由です。

そして三つ目の理由です。

先にお話したホンジョンピル先生のことですが、ホン先生が韓国でゼミ生の協力を得て調査を進めていて、本名が分かり次第その家族を説得に行くことをやっていたのですが、ボクはその長い記録ビデオを見たことがあります。

ホン先生の説得にもかかわらず、拒否する人が相当におられるのです。外国で亡くなった方の場合、遺産相続が少々ややこしくなるという事情、また日本が支配していた時代に協力をしていた官僚などが、その事実を明らかにするわけにはいかないなどの事情もあるのですが、多くはあれだけ人権を侵し、差別してきた日本のメモリアル、そこに名前を刻まれたくないということでした。とりわけ知識層に多かったようです。

つまり朝鮮国と日本国との関係を知っている人たちが大勢おられ、かつ若い世代もそれを学んでいるのです。

例えば朝鮮国が日本に併合された1910年の９年後、大きな３・１独立運動に結びつく運動が広がります。日本軍、警察は鎮圧にかかりました。1919年４月15日、独立運動家たち29名を教会に閉じ込め、焼き払い皆殺しにしました（堤岩里（チェアムリ）事件）。各地では駐在所の焼き払いなどもあり、多くの朝鮮人が殺されました。

だまして少女を拉致（らち）して「従軍慰安婦」としていくなど、民族として耐えられない事態を知っている人が大勢いて、「平和の礎」の趣旨はわかるが、そこに名前が刻まれることを拒否するというのも、ボクはうなずけます。

ここの刻銘板にはまだ刻まれていない部分がありますね。ここは本名が判明次第、家族の了承が得られ次第刻んで行くためのスペースです。しかし今まで話したことを考えて見ましょう。それらを考えると今後も埋まらないでしょう。

つまりこの「礎」の空欄は「朝鮮民族の誇り」を物語っているのです。これからみなさんが朝鮮半島の人々の歴史、日本との関係などを学び、「こんな時、朝鮮半島の人はどう考えるか」を思うとき、この空欄の前に立ったことがあることを思い出してください。
さらに、多くの朝鮮半島の人が沖縄戦で殺されていったということもです。

朝鮮民族も日本民族同様、歴史をもち、文化をもち、言語・宗教をもっています。どちらが優れているかなど考えようがありません。それを35年間、日本が一等国、朝鮮は二等国、中国は三等国と決めて差別したのです。一つの国の歴史、文化、その他などをどちらが優れているかを決めることは出来ません。お互いに理解し合うしかないのです。

これからはボクの意見です。今の世界情勢の中で、日本一国主義で平和が保てますかということです。かつて田母神（たもがみ）俊雄・元航空幕僚長のように、航空幕僚長の立場で、日中戦争での日本の侵略や植民地支配を正当化するということになってしまいます。
みなさんのようにこれからの若者が、時間がかかるかも知れませんが隣国の韓国・北朝鮮・中国、さらには日本が侵略して多くの人々を死に至らしめた領域の若者たちと語り合い、お互いの歴史、文化などを学びあって、せめて東アジアの領域を平和な場所にしていく……、それがみなさんの方向ではありませんか。と、ここまで話すと先にいたハングルを話すグループの人が最後まで聞いていて、そのグループから拍手が湧きました。日本語が分かる在日の方々だったのでしょう。

では次に日本兵、軍属のエリアへ移動しましょう。すぐそこです。

平和の礎のセンターライン

⑦ 日本軍兵士の刻銘板で

ここは日本軍兵士・軍属のエリアの一つです。

この道が「平和の礎」のセンターラインで、右側が日本軍兵士・軍属と、先ほどの朝鮮半島の人、台湾の人、米軍兵士、英国軍兵士の名前が刻まれているところです。

センターラインの左側は沖縄県民のエリアです。大ざっぱに言えば、右側が一（8万人）に対し、左側の沖縄県民エリアが二（15万人）と考えていいと思います。

大島和典さんの父・大島初夫さんの刻銘

ところでこの辺りがボクが仕事をしていた徳島県、ここからこちらがボクが生まれた香川県のエリアです。

ここに「大島初夫」という名前があります。ボクの父親の名前です。ここに来たら必ず撫でてあげるのです。
「平和の礎」は1995年6月23日、沖縄戦が終わったとされる日、この日は沖縄では「慰霊の日」と呼ばれていますが、その日に除幕式がありました。

「礎」の刻銘板全部に白い布がかけられていて、それが一斉に取り払われました。その時ボクはここにいたのです。なぜ1995年6月23日にここにいたのでしょう。徳島もその年は戦後50年になりますよね。ボクは当時、四国放送でテレビ制作部長をやっていて、徳島の戦後50年を検証するテレビドキュメンタリーを6本創るという仕事をしていました。
その内の一本が、「戦後50年経っても遺族の心は癒(い)やされていない」というコンセプトでドキュメンタリーを作るために、沖縄へ来ていたのです。ボクはプロデューサーでしたから、直接カメラを回したりしません。ディレクター、カメラマン、音声の人たちがこの周辺で収録をしていました。

その間、ボクは自分のプライベートカメラ、テレビカメラですが、この大島初夫の名前を収録していました。
ところがファインダーの中で、この名前が揺れるのです。
ボクはスタジオカメラマンもフイルムカメラマンもやっていました。いわばプロですから、揺らさない、つまりブレさせない方法を知っているのです。例えば人間を写す場合、正対せず斜に構え、脇を締め、スイッチを押している間は息を止める……で、止まるのです。それが揺れる！
なぜだろうかと考えました。その原因に突き当たり、愕然(がくぜん)としたのです。
カメラを揺らさないために脇を締めるのですが、脇を締めることで胸の大きな揺らぎが、カメラに伝わっているのです。なぜ胸が揺らぐのか……。

それは「やっぱり死んでいたか――」の驚きで、胸が大きく揺らぐのです。この「やっぱり死んでいたか」という感慨の意味、分かりますか。

戦後すぐだったと思いますが、母親の元へ国から、正確には当時の香川県知事から「戦死公報」が届きました。

「陸軍兵長大島初夫は昭和20年6月23日与座(よざ)岳付近で戦死」と。

それをボクも見ているのです。これまでの説明で、ボクがかなり論理的な人間だと、みなさんお分かりだと思いますが、論理的にも大島初夫は「死んでいる」のは認めている。それが「礎」で、大島初夫の名前を発見してビデオに収録して、「やっぱり死んでいたか」と思ったのです。

みなさんはもう大人に近いですから分かると思うのですが、「やっぱり」というのは心のどこかで、「生きているのでは」という気持ちが潜んでいたということですよね。

ここの徳島県エリアに刻銘されている遺族ら6家族17名を沖縄へお連れして、同行取材するという形で番組を作ったことがあります。「礎」からホテルへ戻るバスで、みなさんにマイクを回して話してもらったところ、ほとんどの人が「やっぱり！」と思ったというのです。

「どこかで生きているのでは」「何か事情があって自分たちのところに帰れなかったのでは」と思っていたというのです。

それでまた胸がつぶれる思いになりました。考えたら「死に様」を確認しているわけでもなく、ましてや遺骨もないのです。ここで刻銘された名前を見たときに「完璧に死んでいる」と、いわば「強制的な死の再確認」を迫られたのです。
　このあたりの大下さん、大河内さんなど遺族の方々が来られて名前を見つけた時、「やっぱり死んでいたか」と思ったと思います。
　つまりここでは「死の再確認」があるのです。死んでいるということは頭にあったんですが、今度は完璧に死んでいるという、「死の再確認」を突きつけられる場所なのです。

　ところでボクの父大島初夫はその時、何歳だったのか。33歳でした。
　ボクは1968年、つまり復帰の4年前に沖縄へ初めて来ました。復帰前ですからパスポートを取って来ました。何のために来たのか。その時がボクが33歳になった年でした。33歳の大島初夫には妻、ボクの母親ですが、その妻を残し、息子であるボクを、まだ見ぬ幼い妹を残し、どんな思いで死んでいったのか。それを確かめたかった。33歳のボクにも妻があり息子がありました。それを現場で確認したかったのです。
　祖国復帰要求行進に参加するという目的で、12日間会社を休んで沖縄へ来たのでしたが、行進の休みを1日もらって、あらかじめ資料で「この辺りかな」という場所を探していたのですが、あるガマの入口に立ちました。
　とてもじゃないけど「お国のため」に「喜んで死んで」いけるような気持ちなどにはなりませんでした。まさに無念のうちに殺されていったのです。ボクには決して父親を慰霊して終わるものではありませんでした。父親が無駄に「殺されていった」と思っています。その原因がどこにあったのかを探るのが、ボクの使命だと思っているのです。
　そういう辛い「死の再確認」がここであったのですが、次の沖縄県民のエリアでは「生の再確認」があったということを話しましょう。

⑧沖縄県民のエリア　外間一族の刻名板で

さあ、ここが沖縄の方々のエリアです。

ここは西原町幸地という集落の犠牲者の刻名板ですが、173名の外間姓が刻まれています。「外間」と書いて「ほかま」と読みます。

沖縄は母音が「あ、い、う」三つですから「ほ」を「ふ」と読みます、沖縄風に発音すれば「ふかま」です。ここに「外間良義」をはじめ外間姓の一塊のグループがありますが、外間良義さんのところには妻、長男、次男という風に名前がありませんね。なぜでしょうか、考えてください。

多くは「？？？」という風に黙ってしまいますね。実は名前が分からない理由を聞いているのですが……。

一家全滅なのです。一家全滅といっても近所の人がいるじゃない？　と思う人がいるでしょうが、西原町は沖縄本島の闘いが本格的に始まったところです。50％前後の人が亡くなっています。幸地という集落に関して言えば60％近くが亡くなっています。

近所の人もそれくらい亡くなっているわけです。従って情報が極端に少ないのです。つまり外間さんの家族に関する情報が少ないのです。正確にはこの「礎」が作られたのが1995年、その前にこれを作るために沖縄県は悉皆（しっかい）調査をしました。全県をくまなく調べたのです。その時点で外間良義一家の情報が極端に少なかったというべきでしょう。この辺りを調べたらいくらでも出て来ます。ここにも○○の母というのがありますよね。

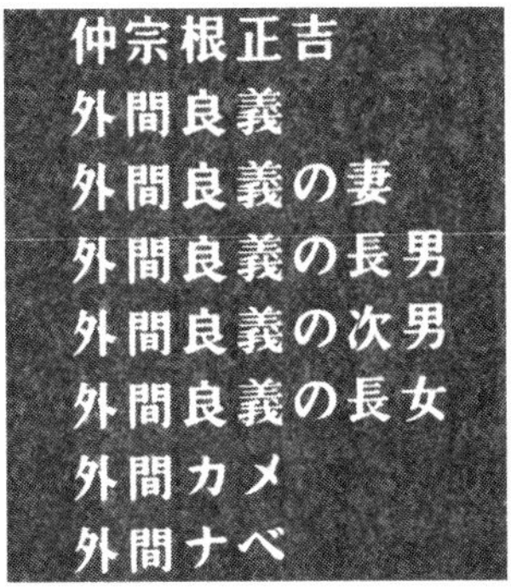

仲宗根正吉
外間良義
外間良義の妻
外間良義の長男
外間良義の次男
外間良義の長女
外間カメ
外間ナベ

名前が分からず妻、長男、次男、長女で刻銘

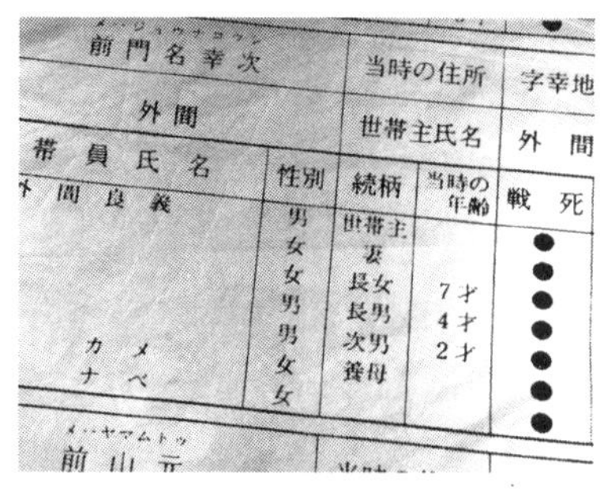

前門名幸次				当時の住所	字幸地
外間				世帯主氏名	外間
世帯員氏名	性別	続柄	当時の年齢	戦死	
外間良義	男	世帯主		●	
	女	妻		●	
	女	長女	7才	●	
	男	長男	4才	●	
カメ	男	次男	2才	●	
ナベ	女	養母		●	
	女			●	

門中					字幸地999番	
				世帯主氏名	渡嘉敷直	
番号	世帯員氏名	性別	続柄	当時の年齢	戦死	戦病
1	渡嘉敷直一	男	世帯主	37才	●	
2	トシ	女	妻	37才	●	
3	直斉	男	長男	10才	●	
4	直栄	男	次男	8才	●	
5	直昭	男	三男	6才	●	
6	直信	男	四男	4才	●	
7	直蒲	男	父	62才	●	
8	カメ	女	母	61才	●	
	直昌	男	弟(次男)	25才	●	
	ツル	女	弟の妻	23才	●	
	ハル子	女	妹(次女)	23才	●	
号	翁長小(次男)			当時の住所	字幸地1036	

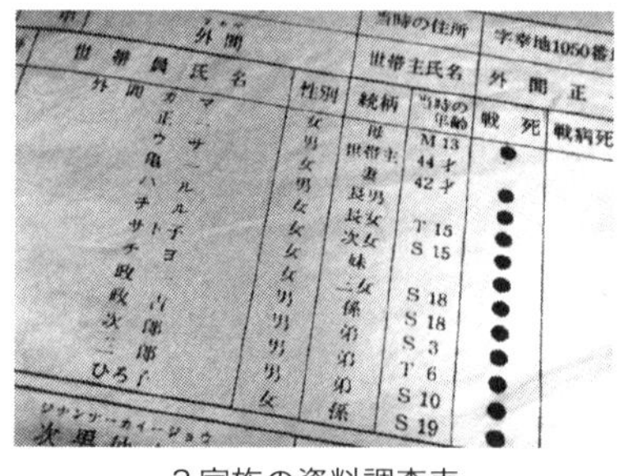

外間				当時の住所	字幸地1050番
				世帯主氏名	外間正一
世帯員氏名	性別	続柄	当時の年齢	戦死	戦病死
外間カマ	女	母	M 13	●	
正一	男	世帯主	44才		
ウサ	女	妻	42才	●	
亀一	男	長男		●	
ハル	女	長女	T 15	●	
チル	女	次女	S 15	●	
サト子	女	妹		●	
チヨ	女	二女	S 18	●	
政	男	孫	S 18	●	
政吉	男	弟	S 3	●	
次郎	男	弟	T 6	●	
三郎	男	弟	S 10	●	
ひろ子	女	孫	S 19	●	

３家族の資料調査表

一家全滅のいくつかの例をみてみましょう。

ここに西原町の資料があります。外間良義さんら３家族の資料調査表です。外間良義さん一家の右端に「戦死」の欄があり、黒丸印がついていますね。戦死した、亡くなったという意味です。戦争に巻き込まれた住民を戦死というのは少し正確でないですね。兵士なら戦死（Death in Battle）と言っていいでしょう。ボクは住民の死は「戦場死」と言うべきだと思っています。つまり外間良義さんの一家はこれで見られるように、「一家全員戦場死」して「全滅」したのです。

この家族はどうでしょう。渡嘉敷直三さん一家、11人全滅です。

それに対して外間正一さん一家はどうでしょう。13人家族でただひとり、正一さんが生きていますね。それはなぜか。正一さんの年齢が44歳であることから分かってくるのです。沖縄戦では17歳から45歳の男性は、ほとんど根こそぎ防衛隊などに動員されました。この正一さんは、もしかして防衛隊に動員されていて家族と一緒に行動はとれなかった。その結果、運良く生き残った。戦争が終わって帰って見ると、家族12名が亡くなっていた。こんなケースも他にもいくつもあります。どの人が、家族がどのように亡くなっていったか、ある程度読めてくるのです。

最近はそうでもないそうですが、以前はボクらが案内するとき、バスガイドさんは「礎」にはあまり来ませんでしたが、ボクの案内は変わっているということで、半分位の方がついて来てくれました。沖縄のバスガイドはほほ100%ウチナーンチュです。姓が本土風の人も、それは本土の人と結婚して本土風の姓になっているのです。

今日もバスガイドさんが来ておられますが、いつもガイドさんに確認することが二つあります。ウチナーンチュのガイドさんが言うのですから、ヤマトンチュのボクの言葉より信頼性が高いようなので、ボクはいつもそれを頼りにして協力してもらっています（笑)。

聞くことの一番目は、「沖縄の人はシーミー（清明祭）や旧盆など、慰霊行為は一族単位で行いますよね」と問いかけると、100%「そうです」と言います。

ボクは1995年6月23日に沖縄に来ていて、香川県の刻名板のところで自分の父親の名前を確認したあと、沖縄県民のエリアに移動しました。その日は「平和の礎」の除幕式があったとあって、この辺りは人でいっぱいでした。

95年の6月23日も、曾おじいさんから曾孫までたくさんの人が一族で来ていて、この辺りは人でいっぱいでした。本土の墓参は、法事などではやや増えますが、原則は家族単位で墓参に行きますよね。

ボクは「一家全滅」と覚しき刻名板の場所で、その一族の傍らに立ってどんな話をしているか聞いていました。ボクは番組制作者、報道記者もやっていましたからインタビューはやりますよ。しかしインタビューで本当のことを聞き出せるとは限りません、ある種の誘導があります。「こう答えて欲しい」と導くこともあります。また編集で都合のいいカットだけを繋ぐとか、「国営放送」（ぼくはNHKをこう呼んでいます）は意識的にそれをやっていますね。

一番素直に本当のことを知るには、皆が普通の会話をしているのを横で聞いていることです。その時もそうしていました。

一族の曾おじいさん格の人が刻名板を見て喜んでいるのです。ボクは奇異に感じました。ここに刻まれていることは亡くなったということですよね。それを喜ぶということは不思議に思いました。その曾おじいさん格の人が言われるには、「自分が生きている間はいい、しかし自分がいなくなったらこの一家のことは忘れられてしまう。このように名前が刻まれていたら後々に伝えていける」と喜んでいるのです。

ボクは父親の名前のところで「死の再確認があった」と言いましたね。ここではまさに「生の再確認」があるのです。

この一家が確実にこの世に存在していたという再確認があるのです。

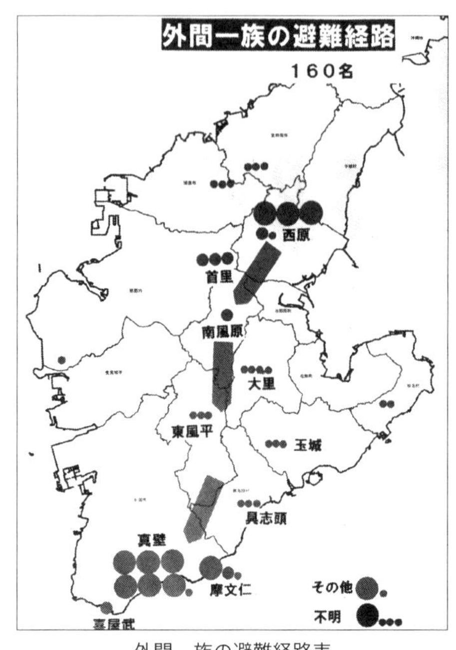

外間一族の避難経路表

バスガイドさんに確認したい二つのことで、もう一つお聞きしたいことは、「沖縄で同じ集落で同じ姓だったら概ね一族と考えてもいいと思いますが、そう考えてもいいですか」ということです。頷いておられますね。

これは外間一族の避難経路表なのですが、とすると西原町幸地の外間さんらは沖縄戦の時に南部へ避難するとき、タイムラグが少しはあるにしてもかなりの部分、一族同士で移動していると考えても、あまり間違いはないでしょう。

ここにデータがあります。刻まれている幸地の外間姓の方は173名、そのうち160名がいつ頃どこで亡くなったか判明しています。残りの13名の方は中国など戦地で亡くなっているか、移民先の南洋諸島の闘いで亡くなっています。

西原町は悉皆調査でよく調べています。それによると自分たちが生まれ育った西原町で亡くなった方は36名。そして南部へ避難していく過程で何名かづつ亡くなっています。そして一番たくさん亡くなっているのが最南部の真壁付近で、61名です。さらに摩文仁などを含めた最南部一帯では、西原町の全犠牲者のうち約60%が亡くなっています。最南部へ避難していく過程で亡くなった方も含めると約70%が西原町以外、つまり南部で亡くなっています。ボクが沖縄戦で亡くなった方の約7割が南部で亡くなっていると言いましたが、このデータも物語っています。

なぜ西原町などの中部の方が南部で50%前後が亡くなっているのか。最初に話したように西原町幸地辺りから実質的な沖縄本島の激戦が始まっています。本当は激戦地を抜けて北へ向かうと米軍の陣地ですから、そこへ投降すれば助かるという方法はあったのですが、日本軍が近くにいますからそんなことは許してくれません。そんなことをしていたら後ろから撃たれるということになります。従って南部へ避難するしかないわけです。

西原町の方々が最南部に避難するには、移動距離が長いのです。

沖縄戦で亡くなった人の死亡原因の多く（約90%）が被弾死、つまり砲弾の破片、銃弾に当たって亡くなっているのです。鉄片が飛び交う地上を長距離にわたって移動したら（逃げ惑ったら）、亡くなる人は当然増えます。
　また南部にたどり着いてもその辺の地理が分からない、ガマの在処も知らないということも加わります。
　また真壁付近でなぜ多くが亡くなっているのか。真壁付近は最後に日本軍が追いつめられたところの一つでもあります。沖縄県民は最後まで日本軍と一緒にいた方が安全と思っていたのです。だからそこに集まる。そこを米軍が集中攻撃をする、それに巻き込まれるということになります。
　それが西原町で亡くなった人より最南部の真壁付近で亡くなった人が１・７倍にもなっている理由といっていいでしょう。

　ところでボクは真壁・真栄平付近が、父親が戦死した場所と考えています。1945年6月19日です。ボクの父親はどのように死んだのか……。
「6月19日に斬り込みに行く大島とすれ違った」という戦友の証言があるのです。その戦友は生き延びて北海道に帰り、ボクの母親に連絡してきたことがあったのです。
「斬り込み」ってわかりますか。米軍の陣地に捨て身で襲撃をかけることです。昼間、地上でそんなことをやったらたちまち殺されますから夜陰に紛れて攻撃します。最終盤には小銃は４人に１挺ぐらいしかなかったと言われていますから、手榴弾をもって襲撃します。100%殺されます。

　戦後、日本政府から母親のところに来た「戦死公報」では、「6月23日に与座岳付近で戦死」となっていましたが、母親はその戦友の情報により翌日の6月20日を命日として位牌を拝んでいました。ボクは日本軍の攻撃の仕方から、その日のうちに死んでいると思っていて、ボクにとっての父親の命日は6月19日と思っています。

なぜ6月19日まで父親は生きていたか……。

ボクが話したことを思い出しながら聞いて欲しいのですが、父親は最南部で沖縄戦最後の段階を迎えていたわけですが、そのことはどういうことを意味しますか？

その段階まで生きていたということは、ガマか壕に入っていたからでしょう。地上で行動すれば生きていけません。ガマ、壕から住民を追い出して……とまで言いたくありませんが、そんな場所に潜んでいたから生きていたのでしょう。ボク自身の父親のことですから、住民を追い出して、さらにはガマでたくさんある証言のように、残虐な行為をしたとは思いたくありません。

しかし真壁付近での住民の「日本兵がやってきて『これから斬り込みに行く、何も喰っていない、食料よこせ』と食料を強奪した」という証言があるのです。この証言にぶつかった時、ボクはしばらく眠ることが出来ませんでした。

自分の父親のことですから残虐行為はやってはいないと信じたい、しかし死にゆくとき食料強奪ぐらいやったかもと思ったのです。日本軍兵士と住民の間での様々な証言を集めれば集めるほど、南部での日本兵一般がやったスパイ視して射殺する、幼児を殺すなどの、一つひとつが父親がやった行為として収斂（しゅうれん）していくのです。

これは辛かった！！！

ここの「礎」には24万1593名（2020年6月23日現在）の名前

が刻まれています。

ここに刻まれている方、すべて自分の履歴があったのです。履歴、その人が歩んで来た経歴をいいますが、これを英語で言うと何になるか。

「PERSONAL　HISTORY」

つまり個人的歴史、これって人生でしょう。日本語の「履歴」より英語の「パーソナル・ヒストリー」の方が分かりやすいですよね。パーソナリティ・ヒストリー＝人生です。

ボクはこんな表を戯れで作っています。

個人的歴史＝人生
＝命×時間
＝命×幅・深さ
＝命×目的

全部かけ算（積）になっていますから、この数式で命をゼロにしたらこの式そのものがなくなります。つまり人生がなくなります。命をなくするということは人生がなくなるということなのです。

ともすれば戦争では悲惨な目に合う、手足を吹き飛ばされて死んでいくから駄目だと捉えるむきもあります。そうでしょうか。

それでは人間の「人生」の捉え方、「死」の考え方が少し弱いのではといわざるを得ません。ここ「平和の礎」に名前を刻まれた方々、みなそれぞれの人生をもっていたのです。過去の経歴だけでなく、もし沖縄戦がなく生きていたら何をしたかったか、何が出来たか……、過去から未来に至る人生をなくしたのです。

しかもそれが国家の強制で一挙に断ち切られたのです。病気でも事故でもなく、自死でもなく人生が断ち切られる悔しさはいかばかりかと思います。国籍の別はあるにしても 24 万 1593 名の「人生」

が、国家の強制によって断ち切られたのです。

それが戦争なのです。

数年前にここで、ボクの前にある青年が座っていました。ボクはここでは天気が良ければ座ってもらうことにしています。芝生が乾いていたら気持ちもいいですからね。

東京から修学旅行で来た青年は高校二年生、17歳です。

ちょっとイケメンで、髪型がすかっとした好青年でした。

その青年に「君はこれから何になるの？」と問いました。その青年は「美容師になる」と言いました。「それはいいね。そしたら高校卒業したらすぐ修行に入るの？」と聞くと、「いえ、大学を卒業して美容師になります」というのです。青年に「それは凄いね。それだけ人生設計が出来ている君の人生がここで断ち切られたらどうする……」と聞いたら、目の前の芝を見つめ黙り込んでしまいました。

そうですよね。しっかり自分の人生計画ができている、その人生計画が国家の強制によって断ち切られてしまう、そんなこと認められませんよね。

その青年の話を別の高校の生徒にしました。ボクの前に３人の高校生が座っていました。その３人の青年は少し「やんちゃな」生徒でソフト帽が妙に似合う、ボクなんかこれだけ若い青年でソフト帽が似合うのを見たことがありませんでした。

ボクはいつも「美容師になりたい」と言っていた青年の話をして「礎」の案内を終了し、県立平和祈念資料館に送り込むのですが、そこへ行くまでの短い移動距離の間に彼らは追いかけて来て、「大島さん、今の話ものすごく共感した。ついては相談がある」というのです。

？？？と思いましたが、「下のロビーででも話しを聞こうか」と移動しました。彼らの相談は「大学へ行くべきかどうか」の相談でした。

さっきボクは「やんちゃな」と言いましたが、推測すれば彼らは成績がすれすれだったのかも知れません。ボクの話を聞いて、「これからの自分の人生をどうしたらいいのか？」と思ったのでしょう。ボクは「可能なら大学へ行ったほうがいいのではないか、良いところへ就職出来るという意味でなく、人生の幅が広く、かつ深く、豊かになるよ。その中で自分がやりたいことも分かってくるのでは……」と答えました。担任の女性教師がついて来ていて写真も撮っていました。少し経ってその先生から、お手紙をいただきました。

「あのやんちゃな子らが、あれだけ真剣に人と向かい合う姿を初めて見た」と感動していて、写真を多数送ってくれました。その写真には「礎」でボクが案内する場所で、いつも最前列にいた彼らの姿がしっかりと写っていました。

もう一つのお話をしておきましょう。

大分前になりますが、多分「国営放送」だったと思いますが、2008 ～ 09 年イスラエルが隣のパレスチナのガザ地区を無差別攻撃しました。イスラム国のことではありません、イスラエルの話です。2014 年の初めにも同様な攻撃があって、約 2100 人（国連調査）の住民が殺されましたね。

先の虐殺の時、父母がイスラエルに殺されてしまった 10 歳の少女の言葉です。インタビューに答えて言った言葉。「お父さん、お母さんの『愛』が消えた」と。

命を失うということはこういうことなのです。お父さん、お母さんが自分に注いでくれていた「愛」が消えた……。戦争は悲惨な目にあって命をなくすから駄目なのでは、捉え方が弱いとボクは思っています。紡いできた人間同士の「愛」が、人生で一番素晴らしい

「愛」が消えるのです。だからその根源である戦争をなくすことを、それぞれが命をかけて考えなくてはならないのです。
「平和の礎」には24万1593人の名前が刻まれています。もしバスガイドさんの案内だけで通り過ぎると、「24万1593人の名前が刻まれています」「多いね」で終わってしまいがちですが、それだけの人生が国家の強制で断ち切られてしまったのです。

これらの方々の名前の後ろには、「繋がる」人々がいます。先ほど見てもらったボクの父親・大島初夫の名前の背後には初夫の妻（ボクの母です）がいる。子であるボクがいる。妹がいる……。それだけでなく、いろんな感情が絡み合った形で展開していった人生があった。
それが大島初夫ひとりが国家の強制でその人生が断ち切られるばかりでなく、それに連なる人々の人生が劇的に変わる、何よりもその親子の、夫婦の、兄弟ら、友人らで交わしてきた「愛」とか「思いやり」「優しさ」など、人間が生きてゆく上で最上のもの、それらがなくなるということも考えなくては、この「礎」を建立した意味も薄らいでしまいます。

人、それぞれの人生があり、人生を彩るドラマがあるのです。
その人生を一挙に奪い去ってしまう国家による暴力。それが戦争なのです。そしてその人生に繋がっていた、または繋がっていっただろう人（後に生まれてくる人ですが）の人生も断ち切られたのです。

ついでながら、これを機会に「悲惨」という言葉、「平和」という言葉を使わずに本当に「悲惨」とはどういう状況をいうのか。真の「平和」とはどう言う状況をいうのかを考えてみませんか。
「悲惨」「平和」という言葉。右も左も簡単に使い過ぎていると思

祈りの場

います。多用されて一般的になっているからでしょうが、「概念を単純化して字句にすることは、その概念の底に潜む本質を消し去ることになる」のであって、恐いことです。そういう言葉・字句を使わずに自分で考え、表現し、文章化してみたらどうでしょうか。そうしたら「悲惨」「平和」の本質に迫ることが出来、それらがリアルに姿を現してくるのではないでしょうか。

さあ、資料館に行きましょう 。

先ほどの「やんちゃ」な三人組と話し合った時は、資料館に入るのが少々遅れたのですが、「資料館に入った方がいいですか」との質問に、「ここの資料館は『ひめゆり資料館』と違って、展示が多岐にわたっているので勉強しにくいところがあるが、時間が少なくても入る時より出て来た時に一つでも賢くなっていたらいいのでは……」と話して送り込みました。

そんな感じで勉強して来てください。

⑨番外　対馬丸の兄弟姉妹

いつも「慰霊の日」前後に、ボクは「平和の礎」で聞き取りをしているのです。

毎年3、4名から7、8名の方々に、「刻銘されている方はどなたか、どこでどのような亡くなり方をされたのか、残された方の戦後は？」などを聞いています。断られた方はひとりもいません。つまりみな答えてくれているということです。合計で数十名になります。

2010年6月22日のことです。ここは那覇市の牧志町のエリアです。

ひとりのおじいが小さな折りたたみ椅子に座り、ある名前の塊の前でジーッとしておられました。その後ろに年格好、お孫さんらしき男1名、女2名が控えていました。

そこでボクはそのおじいが何をしているのか、お孫さんらの後ろで見ていました。そのおじい、やおらペットボトルを出してその水を名前の塊にかけ、ついで大福餅を出して、その名前に捧げて、その後その大福餅を、自分でムシャムシャ食べてしまいました。つまり神道でいう「共食（きょうしょく）」です。

おじいはしばらくしてお孫さんらのところへ来て、一緒にお菓子など食べ始めたので、ボクが割り込みました。

Q：どの方々がお身内なのですか。

A：高良姓の上から10人がそうです。一番上から2人が両親で、艦砲射撃で死にました。その下の8人が兄弟です。

Q：どこでどういう具合に亡くなったのですか。

A：8人全部、対馬丸で死にました。

Q：……

A：一番上のボクは年が超えていたので乗せてくれなかった。一番下の妹は年が足りなくて乗せてくれなかった……。

Q：……

ボクは黙らざるを得ませんでした。

後日、県立平和祈念資料館のコンピュータで調べたら、次のことが分かりました。お父さん、お母さんは、資料上では子ども８人と同じ 1944 年８月 22 日に亡くなったことになっていました。

息子さんが、「艦砲で死んだ」と言っているのが正解ではないかと思います。つまり、本当は父母が亡くなった日は８月 22 日ではないのだけれど、子ども８人が亡くなった日に合わせて、「あの世で一緒に楽しく暮らしてね」と調査票に書き込んだのだと思います。

高良ウシ
高良政一
高良トシ
高良澄子
高良政次
高良　健
高良節子
高良弘子
高良末子
高良スミ

《資料》

①トシ	15 歳	⑤節子	7 歳
②澄子	13 歳	⑥弘子	6 歳
③政次	11 歳	⑦末子	0 歳
④健	10 歳	⑧スミ	？

（資料上では不明）

なお⑦⑧の子どもについては、おじいから聞いたことと違うところがあるのですが、那覇市の場合調査がかなりずさんなところもあるということで、ボクはおじいが言っていることを採用しました。

沖縄の人には「わらびな（童名）＝小さいときの名前」があり、「大きくなって戸籍上の名前」になるということがあります。那覇市の場合、「平和の礎」への刻銘が、「童名」「大人になっての名前」両方で刻まれている方もいます。つまりひとりの人格だけど、二つの名前で刻まれている方もいるということです。

4 「魂魄の塔」「米須海岸」案内

1　魂魄の塔

（魂魄(こんぱく)の塔へ近づいた辺りで）ここでこんなことを言っても実現しようがないのですが、この辺りで亡くなった方々に呼びかけてみたいのです。

それは「おーい！　みなさん。みなさんが亡くなられた場所で一斉に立ち上がってみてくれませんか」と。

そんなこと全く実現するわけなどないのですが、仮にそれが実現したら、この辺りは亡くなった人の姿で真っ黒になるのです。それだけの人が亡くなった場所なのです。

いま両側にはサトウキビがいっぱい植わっていますが、ボクたちはそういうエリアに入ってきているのです。

沖縄戦当時、北部に疎開した人などをのぞいて米須(こめす)集落に残っていたのは1300人近い人がいました。うち58・4％が亡くなっています。

＊カミントゥガマと大屋初子さん

バスの進行方向に温室がたくさんありますが、その一番手前の、一番右側の角に、当時はカミントゥガマというガマがありました。そこで1945年6月20日頃、「集団自決」を含めて58名の方が亡くなっています。あわや一家（一族）で自決したかもしれない人もいました。

大屋初子さん、当時は９歳でしたが、お父さんが手榴弾で一家で死のうとしていたのですが、お父さんは初子さんを可愛がっていて、「最後に初子に聞いて見ようね」と初子さんに聞いたのです。初子さんはその時「私は死にたくない！」と叫んだ。その結果お父さんは手榴弾を爆発させなかったのです。一家は「集団自決」しないで済んだのです。

運転手さん！　その「ふくぎ」のところで少し止めてください。

この角にカミントゥガマがありました。今はサトウキビが植えられていてガマは埋められています。悲しい場所は埋めてしまおうということかも知れません。

「私は死にたくない」と叫んだ大屋初子さんが、魂魄の塔の横で花売りをしています。今日などはいないでしょうが、忙しい時、とりわけ６月23日の慰霊の日には小屋におられます。

そんな話をしながら魂魄の塔に着いたら、偶然に初子さんがおられて、「おっ！　あの方が大屋初子さんだよ」と紹介したら、私立の女子中学校でしたが、みなコチンコチンになっていました。初子さんとは日頃親しくしていただいているので、その日も「初子さん、彼女たちに何か声をかけてくれませんか」とお願いしました。そうしたら初子さんは、「みなさん！　これから戦争のない社会にしてねぇ」とおっしゃいました。正直泣けました。体験者がそういうことをいっていることを、その女子中学生たちはしっかりと受け止めたと思います。

今でも慰霊の日などに一族の女性がやって来て、「初子、お前の一声で助かったのだよ」と言うことがあるそうです。

さあ、ここでバスを降りて魂魄の塔がどういう場所かを聞いていただきましょう。

その後、200メートルほど行ったら沖縄本島の南のどん詰まりになる米須海岸へ出て、そこの美しい海を見ながらで沖縄戦の「学習」をどうまとめたらいいのか、何を学びとればいいのかを考えましょう。

＊魂魄の塔と沖縄県民

ここが魂魄の塔です。ある意味で沖縄県民が一番大事にしている場所です。それはなぜか？

この慰霊塔には沖縄戦の最終盤で、この辺り一帯で亡くなった県民住民、それに日本軍の兵隊の遺骨など、3万5000体が眠っているといわれています。米軍兵士の遺体も含まれているとする方もおられますが、米軍は戦死兵の遺体を最後の一体まで探して埋葬し、その後本国の遺族に送り届けるのが常になっていますし、この辺りは米軍が完全に掌握していたわけですから、米兵の遺体は入っていないと考えた方がいいと思います。

沖縄の平和を希求する原点、魂魄の塔

ボクらの仲間の大学生が卒論で、「沖縄県内の慰霊塔は全部で523、うち本島にあるのは427。その内の50％が南部に、さらに糸満市に30％がある」としています。つまりボクが、「沖縄戦で亡くなられた方のなかで約7割が南部で亡くなっているのでは」と言っていますが、この慰霊塔の数も大まか見合っているのではないでしょうか。

沖縄戦で亡くなられた方で、遺体が見つかっていない人がたくさんいます。どこで亡くなったかが分からない方がそれだけ多くいるという意味です。そういう遺族の方々はここの3万5000体の中に、自分たちの家族の遺骨が入っているのではと思うのも当然でしょう。だから「慰霊の日」は朝早くから深夜まで、ここをお参りする方が途絶えないのです。その日の前後でも多くの方が来られます。

沖縄には沖縄県以外の46都道府県の慰霊塔があります。沖縄県民の慰霊塔はありません。しかも遺骨が入っている慰霊塔はここだけです。沖縄県民の中から「沖縄県の慰霊塔を」という方はいません。

沖縄県民にとってはここが沖縄県の「慰霊塔」なのです。

この魂魄の塔を作られた方が、金城和信（きんじょうわしん）さんでした。

金城和信像

真和志（まわし）村は1957年に那覇市に合併されていますが、沖縄戦が終わった当時、そこの村民たちは東の方にある知念（ちねん）の捕虜収容所に入れられていました。劣悪な衛生環境・食糧事情もあり、米軍はこの米須辺りにあった米軍のキャンプ跡に、真和志村民を移動させます。その折り、金城和信さん（さっき行った「ひめゆりの塔」を建立した方です）を米軍は村長に任命します。昭和21（1946）年の1月のことです。最初は少なかったのですが、最後には8000人余りの人がこの地域に来ます。彼らがまずやったことがこの辺りの遺骨収集でした。

当時はこの付近一帯は「白いもの」で覆われていたといいます。白いもの、一つはこの辺りの岩、多くは琉球石灰岩です。この岩は割ると「白く」見えます。正確にはベージュがかった白です。砲爆撃で岩も破壊されていたのです。

もう一つの白は白骨だったといいます。しかしボクは沖縄平和ネットワークのガマ部会に属していて、調査のために多数のガマに入って時々遺骨にぶつかります。土に埋もれていたということもあるでしょうが、白くはありません。人の骨というのは荼毘（だび）に付して（火葬にして）あるいは長期間、風雨にさらして初めて白くなるのです。沖縄では当時は荼毘に付すという風習はありませんでした。

掘っ立て小屋を作るにせよ、畑を作るにせよ、石とか遺体（骨）を収集しなくては始まりません。米須集落の人も含め金城和信さん、ふみさんのご夫妻も一緒に一日100名規模の人が、何日か遺骨収集に当たりました。米軍は反米、軍国主義思想につながるということで遺骨収集、慰霊塔建立などには反対していましたが、金城さんは粘り強く交渉して了承を取り付けるのです。

一体何体の遺骨があるか分からないわけですから、最初から平地に積み上げることは考えられません。ボクらの仲間（大阪大学大学院の准教授）の研究では、ここは大きく落ち込んだ地形だったそうです。また当時ここで遺骨収集に当たった翁長（おなが）安子さんも、「大きな穴があった」と証言しています。

つまりその大きな「穴」に集めた遺骨を投げ込んで行く、いっぱいになる。そこで米軍と掛け合ってセメント、ベッドの廃材、鉄骨をもらい、それで囲いを作り、さらにいっぱいになりこの形になった。そしてその上に「魂魄」と彫り込んだ石を載せてこの慰霊塔となったのです。

「魂」は魂です。「魄」はボクなど知りませんが「彷徨える魂」だそうです。この辺りにはまだ成仏出来ない魂が彷徨っているという意味です。なおこの命名を進言したのが、この琉歌〈和魂となりてしずまるおくつきの　み床の上をわたる潮風〉を作った、翁長雄志沖縄県知事（当時）のお父さんの助静さんだったといわれています。塔が完成したのが昭和21（1946）年2月27日でした。

なお3万5000体の遺骨が入っているといわれていますが、多くは摩文仁の丘にある国立沖縄戦没者墓苑に「転骨」されていて、公式には「象徴骨」だけが入っているとされています。

しかしボクらの仲間（先の准教授）の研究によると、「転骨」の際（1974年）に使われた袋の数、一つの袋に入る遺骨の数から考えたら3千体弱しか移されていないとしています。ということは3万体余りはこの慰霊塔に残っていることになります。そのことを拝みに来ているひとりにお聞きしますと、「知っている」「仮に遺骨がなくとも魂が残っている」とおっしゃいました。そう思って「祈り」に来る方もおられるのです。

転骨の際に開けた穴の跡が、塔の後ろに残っています。

＊塔への様々な祈り

ボクは2004年に沖縄に移り住んでから毎年、6月23日の慰霊の日に朝から昼過ぎまでここで沖縄の方の祈りを見ています。ここにカメラの三脚を据えて……。長年ここで見た沖縄の方の祈りの中で、印象深いものをいくつかお話しましょう。

①この祭壇前は、大勢の方が並んで拝むには少し狭いですよね。つまり一家族（一族単位といっていいでしょう）が、おばあを先頭に

拝みに来ていました。そのおばあが祭壇の前に正座していました。そしてお供えの重箱を広げました。沖縄のお供えは３×３、つまり９つ入っています。おばあはその一つひとつをお箸で摘まみ上げて、あの魂魄の高さまで持ち上げて「持って来たよ、食べなさいよ」と、声には出さないのですが話しかけているのです。それをずーっと続けているのです。心に染みる祈りの姿でした。

様々な無数の祈り

②ボクは午後２時ころまでここにいて、それから平和の礎へ行きます。そのころには沖縄県主催の沖縄県全戦没者追悼式が終わっていて（この追悼式には時の総理など三権の長なども参加するのです。ボクは村山総理の時だけ参加しました）、平和の礎は沖縄の人でいっぱいです。

魂魄の塔でお目にかかったおばあ（先に話したおばあとは違う人ですが）に、お会いしました。「おばあ！　こちらにも来ているの」と声をかけました。

そしたらおばあは、「魂魄の塔にはお骨がある、ここには戒名（かいみょう）がある」とおっしゃいました。「礎」に刻まれているのは亡くなった方のお名前で、戒名ではありません。戒名は仏教徒が亡くなった時に付けられる名前です。例えば「〇〇院〇〇居士」という風に……。しかしおばあには戒名に思えるのでしょう。おばあがそう思っているのなら、それはそれでいいのではと思いました（沖縄での仏教、戒名などに関しての感じ方は本土とは違います）。

③ある年、ある一族がここで拝んでいました。一族で拝んでいる姿からは何人の方に祈りを捧げているか分かりません。

その一族を「礎」で見かけました。そしたらある場所で拝み、また別のところへと移動しているのです。そこを終えるとまたという風に。「礎」の刻名は市町村別、集落別、さらに家族単位で刻まれています。それだけ移動するということは、その一族には亡くなった方が何人もいたということです。

④ある時、タクシーに乗ってこられたおじいがいました。車椅子の方でした。タクシーのドライバーさんが手伝って、祭壇から少し離れたところにお連れしていました。その様子をボクは見ていました。６月 23 日は沖縄では梅雨が明けるか明けないかという微妙な時期です。その時は日差しが強い暑い日で、ドライバーさんは車に積んでいたやや大き目のこうもり傘を広げ、おじいの後ろからさしかけました。

そのドライバーさんの姿勢に打たれました。横に並んで一緒に陽を避けているというのではなく、直立不動の姿勢で少し前屈みになって、後ろから一生懸命おじいに陰を作っているのです。ボクはこの時、ドライバーさんもおじいと一緒に拝んでいるのだと思いました。あるいは身内に犠牲者がいたのかも知れません。

そんな拝み、祈りが無数にあるのがここ魂魄の塔なのです。そして沖縄の方の祈りは深いです。本土の人に比してなぜ「深い」のか、よく考えることがあります。ただ手を合わせているのではなく、「祈」っている人たちの心を「合わせた手で」包み込んでいるようにも思えます。

＊ある女性のこと

ボクはここでは「聞き取り」はしていません。ここは「祈る」ところであって聞き取りをするところでないと思っていました（聞き取りはその後の「礎」でやったことはありましたが）。

ところが５年ほど前、魂魄の塔の横に座っていた70歳近い女性の、風情ある姿に打たれました。正座してジーッとあの塔を見上げているのです。

ご存知のようにこの祭壇は広さの関係で一家、一族単位でしか拝めません。ですから多くの方々はこの塔の回りに座って拝んでいます。当然のように塔はいっぱいの花束やお供えに囲まれます。その女性もひとりなので祭壇を外して拝んでいたのです。

ボクはその時、「ここは拝むところで、

祈りの時

深い拝みと祈り

聞き取りをする場所ではない」という自分に課していた誓いを破ってしまいました。

「どなたにお会いに来ているのですか？」と。

その方は「私は４歳でした、母親が百名（ひゃくな）の野戦病院（米軍）で亡くなりました。お兄さん二人がどこで亡くなったのか分かりません。ここへお母さん、お兄さん方に会いに来ています」「毎年ですか？」「そうです。一度事情があって来られない時があったのですが、その後の一年は何だか心が落ち着きませんでした」

ボクはその時10年近くここで「拝む」人たちの姿を見ていたのですが、その間に気がついたことがありました。それはみなさんがお持ちする「お供えもの」が微妙に変わってきていると感じていました。つまり手作りが少なくなって、スーパーものに変わっていること。

そのことを労組関係者を案内していた時に話しました。もちろん「慰霊の日」ではありません。その時、お二人のウチナーンチュのおばさんが横で聞いていて、大いにうなずいていました。ということはやはりスーパーものに変わって来ているという感じはあるのでしょう。

それに対して先の女性が持ってきていた「お供え」は、みるからに手作り（五穀米のおにぎりなど）でした。

ボクはその時、分かったのでした。この方は自分で手作りすることで「心」を込めているのだと。

そんな「拝み」と「祈り」が無数にあるのがここなのです。ただ一族、家族の冥福(めいふく)を祈っているだけでなく、「戦争で亡くなった方々」を悼(いた)んでいるのです。

ここでの「祈り」は辺野古(へのこ)に座り込んでいる人たちの、戦争を憎み平和を望む心と繋がっている「祈り」なのだと、ボクは最近思うようになりました。

＊遺骨収集

母親が子どもを抱いたまま亡くなっていると思える遺骨や、何らかの理由で亡くなった様子が分かる母子の遺体など、そんな遺体や遺骨がこの辺りでは多かったそうです。

この胸像の金城和信さんの奥さんのふみさんも遺骨収集作業に参加していて、そんな遺骨をバラバラにすることが出来なくて、担架とか戸板でここへ運んで来たそうです。

その金城ふみさんの手記によると、小学生らしき少年が肩から布製の学校鞄をさげて大人らしき遺体に抱きついている。その家族構成を調べると、この近くの喜屋(きゃん)武村の助役の一家だと分かったということです。

またこの周辺で、当時「お化けカボチャ」「お化けトマト」「お化けノビル」など、異常に育った野菜などが見つかった時、その足下を掘ったら必ず遺体が見つかったといわれています。

みなさん、この辺りはそういうところなのです。もしみなさんが6月23日の「慰霊の日」にここに来られるとか、たまたま沖縄に来ていて気が付いたら6月23日だったら、ここへ来てみてください。

ボクらの仲間のひとり（その方は首都圏の高校の先生でした）が、6月23日に修学旅行で生徒を連れて来たいといってきたことがありました。「慰霊の日に？」といぶかりました。この日は南部一帯は渋滞で動けません（今は道が一本増えて少しは緩和されていますが）。

従ってガマへ行く、資料館へ行くとかの移動は簡単には出来ません。そのことを先生に告げると、「その日の雰囲気を味わわせたい」と言いました。それはそれで分かるので、沖縄平和ネットワーク事務局のメンバーは「ＯＫ」をしたこともあったそうです。

また大阪の労組の方を案内した時にも、「６月23日に来たら？」と申し上げました。そしたらその泉佐野の市職の人は翌年、３人で来ました。さらにその次の年はひとりは東日本大震災に遭った岩手県に派遣されていたのですが、岩手から飛んで来てボクと行動を一緒にしたこともあります。それだけ学ぶものが多い場所であり、祈りがあるところなのです。

沖縄にある圧倒的多数の慰霊塔が南部にあるわけですが、他の場所とは雰囲気がまるで違うのです。その中で何を感じ、何を考えたかを思ってください。

さあ、ここから200メートルほど行くと沖縄県民、住民、敗残兵らが追い詰められた最南端の海岸に出ます。そこで今日の沖縄戦の学習のまとめをしましょう。

2　米須海岸

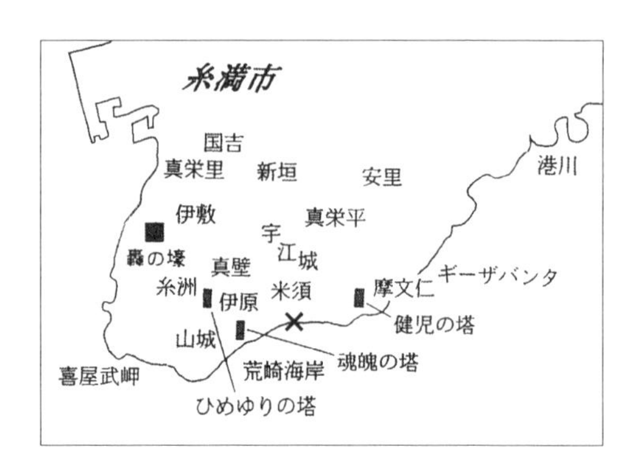

＊最後に追いつめられた場所

ここ米須海岸に出て左に行くと、１クラス位の生徒が座れるスペースがあります。ところどころ岩が出てい

米須海岸を背に話す大島和典さん。この海岸はサーフィンのメッカでもある

るところもありますが、その他はサンゴで出来た砂になっていますから、そこに座ってもらって、ボクは海を背に話しを進めます。

前ページの地図の×印がここ米須海岸です。陸地を背にして左に見える丘がさっき行っていた摩文仁の丘です。反対の右側の岬が荒崎海岸です。ここが沖縄本島の最南端です。つまり沖縄の住民、避難民、敗残兵などが最後に追いつめられた場所なのです。正確に言えば左の摩文仁の丘の少し向こう、みなさんが確認した「ギーザバンタ」の向こう付近から、この右側の荒崎海岸を回り込んだ辺り、この辺りに追い詰められ殺されるか捕虜になった場所です。

ここで何千人か何万人死んだか分かりません。銃撃や火焔放射器などで殺された、あるいは腐敗して黒くなった遺体。この辺りにはこんな遺体がいたるところにあったのです。

追い詰められた住民、避難民、敗残兵など東に行ったらいいのか、西に行ったらいいのか全く展望がなく、家族単位、グループ単位で逃げ惑っていたのです。ただ沖から米軍が「『ギーザバンタ』の向こう、港川まで行けば日本兵がいないのでそちらの方へ移動する」よう呼びかけていましたから、おおむね東方向へ移動していたようです。

＊荒崎海岸を望む

みなさんの右手の突端が荒崎海岸ですが、あの少しこちらに寄った辺りを「ひめゆり」の宮城喜久子さんらの一行が彷徨っていて、米兵とばったり出会ったのです。

6月21日のことです。米兵が自動小銃を乱射しました。宮城さんらふたりは左側（山側）に避けたので助かったのですが、同じように行動していた学友が4名即死。あとに続いていた先生を含めた10名が、先生の持っていた手榴弾で「自決」しました。こういうことがあの辺り一帯で起きていたのです。たまたま「ひめゆり」の方々だったために、その状況を書き残せたと考えるのが正しいでしょう。なお宮城さんの手記には「火焔放射器の火は迫るし……」というくだりもあります。

そこに今、付近で亡くなった方々の名前を刻んだ石板が岩に埋め込まれています。数年前、ボクらの仲間の遺骨収集のベテランがそこで県立第一高女の校章を見つけて、「ひめゆり」へ提供し、いま資料館に置かれています。

亡くなった方の名前を刻んだ石版（左）

なお彼女たちは前夜、海岸で唱歌「故郷」を歌ったそうですが、数年前にその歌を聴いたという米兵が現われ、その奇遇に驚いたことがありました。彼女らが「故郷」を歌った次の日に悲劇にあったということです。

＊仲宗根政善先生が見たもの

「ひめゆり」には他の学校との違いがありました。それはそれぞれ引率の教師がついていたのです。先ほどの「自決」した教師も同じです。戦後も生き延びて生徒たちの「死と生」に向き合った教師のひとりに仲宗根政善（せいぜん）さんがおられました。

戦後、著名な琉球言語学者となり、琉球大学の教授、そして初代のひめゆり平和祈念資料館の館長にもなられた方です。

その仲宗根さんが1946年4月7日のひめゆりの塔第一回慰霊祭に参加した時の話です。

「ひめゆり」でも話しましたが、魂魄の塔を1946年2月27日に建てた金城和信さんが、その後「ひめゆりの塔」を建てましたよね。

仲宗根さんは4月7日の慰霊祭の時にこの米須海岸に出てきたそうです。その時、仲宗根さんは「ぞーっとして立ち尽くした」と手記に書いています。

《この辺りには無数の白骨が転がっていた。頭蓋骨の眼窩（がんか）が無念そうに天を睨んでいた。そしてあの白波が立っているところには白骨がコロコロと音をたて転がっていた》と書いています。

また白骨が、あのアダンの木の根のところに食い込んでいたという話もあります。これは少し考えたら分かることですが、潮が満ちて来ていて台風クラスの風が吹けば、海中でコロコロ転がっている白骨が打ち上げられたと考えてもいいでしょう。

仲宗根さんは翌日再びこの海岸に出て、今度はあの荒崎海岸まで行きました。その途中も同様だったといっています。

先ほど行った魂魄の塔周辺は一応収骨が終わっていたのに、この海岸は手つかずだったのです。この海岸はそういうことがあったところなのです。

今日みたいにお天気の良い日だと、海が綺麗ですよね。海の色は空の反映ですから、空が澄んでいたら本当に美しいです。

しかし当時、あの白波の中には、あるいはこの白浜には何があったのかを考えてみてください。そしてあの戦争がなぜ始まったのか、その結果、沖縄県民はどうなったかを考えてみてください。

つまり今のこの美しい海を、美しいとだけみないで欲しいのです。その底に何が潜んでいるのか。沖縄戦の最終盤にこの辺りはどうなっていたか、その現場で何を学んだらいいのか。

この美しさを美しいとだけで判断しては、駄目なのです。目に見えるものだけで判断しては間違うのです。

＊一番大事なものは

『星の王子さま』という童話、知っていますか？　フランスの飛行家、サン・テグジュペリが 1943 年に出した、大人（「子どもの心を失った大人」ともいわれている）向けの童話です。読んだことのある人は手を上げてください。たくさんの方が読んでいますね。

みなさんの学校にもあるはずですから読んで見てください。

『星の王子さま』は、自分が住んでいる星で一本のバラの花の面倒を見ていたのですが、ある時バラといさかいを起こして他の星へ行きます。いろんなところを回って行くのですが、7番目に地球に来ます。地球で会ったのが「狐」でした。その狐が王子さまに言った言葉。これが極めて有名なものとして世界に発信されているのです。

その言葉、大きくは二つの訳に分けられますが、一つは「肝心なものは」、もう一つは「一番大事なものは」ですが、分かりやすく一つに絞れば、狐が王子さまに言った言葉は「一番大事なものは目に見えないんだよ」です。

そうです！　一番大事なものは目に見えないのです。目に見えるものだけで判断すると間違うのです。『星の王子さま』はフランス語で書かれているのですが、この部分は「本質」となっています。本質は目に見えないですよね。みなさんは今、教育を受けていますが、煎じ詰めたら本質をつかみ取る力を身につけるために勉強しているのではないですか。先生方も学科は違っていても、みなさんに本質をつかみ取る力を身につけてもらうために頑張っておられるのです。

ここで見る白波の向こうに潜んでいるもの、それが即「本質」だとはいいませんが、この向こうに表面からは見えないのがあり、それが何なのか、さらにはそれから何を学び取るかがみなさんに、私たちに突きつけられているのです。

ボクはここでいつも、中学生から大人まで同じことを同じ調子で話しています。その中で一番反応が鋭いのが若い人です。学生でいえば中学生です。大人になればなるほど感性が鈍るのか、余計な情報が入ってひん曲がって行くのか、まあサン・テグジュペリに代わって言うとすれば、「子どもの心を失った大人」になっているのでしょう。

ところでサン・テグジュペリですが、飛行家でもあり、作家としても有名な方で、例えば「夜間飛行」という小説がありますが、「夜間飛行」は有名な香水の名前になっています。また彼は第二次大戦中、連合軍の偵察機の操縦士として活躍しました。1944年、彼は地中海上空で撃墜されます。それがどこだったのか。1998年にマルセイユ沖で彼と妻（コンスエロ）の名前を刻んだ銀製のブレスレットが見つかりました。
　それを機に詳しく調査し、2000 年に見つかった偵察機の残骸が彼の乗機と確認されるということがありました。撃ち落としたドイツ軍の操縦士も『星の王子さま』の愛読者で、「長い間、あの操縦士が彼ではないことを願い続けた。彼だと知っていたら撃たなかった」と言っていたそうです。

＊沖縄戦学習のまとめの場所

　ボクはガイドを始めた初期のころ、南部での「沖縄戦」の学習をどこでまとめたらいいのか、迷っている時期がありました。
　それがある時、中学校でしたがその学校は魂魄の塔の案内だけを指定していました。ボクも含め、仲間の多くは何とか時間を作り出してここ米須海岸へ生徒たちを連れてきます。その時も「時間を作り出しましたから海岸へ行きましょう」と先生に申し上げたところ、「私たちの学校は魂魄の塔が最後で、皆疲れているので……」と、やんわり断って来ました。
　ボクはそれを無視して生徒たちをこの海岸に誘いました。
　後日、先生から「詫び状」と感想文が送られてきました。
「私は生徒たちを見くびり過ぎていた。あれだけ素晴らしい感想文を書くとは思っていなかった」と詫びるのと同時に、素晴らしい感想文を多数送ってくれました。
　その時から「行程は大島さんにお任せします」と言われたら、「最後のポイントは米須海岸」と決めました。もう迷いはありませんでした。
　その時の先生のお手紙、生徒たちの感想文はボクにとって「宝物」で、いまも大切に保存しています。

　ボクがガイドになって初期の頃ですが、この海岸に案内した東北の女子高生の感想文、詩のような感想文が送られてきました。陽子さんという学生さんですが、読みますね。

「この海の美しさは60年前の痛みの代償なのではないのか。あるいは戦争の痛みを隠すための仮面なのか。そう考えると美しく光る海の裏側を見た気がした……」

同じ学校の歌穂さんの感想文です。「ただ見るだけでは判らないものが存在している……それだけは感じた。この身をすり抜ける風も、この空も、海も、全て過去の記憶をはらんでいるのだ」

もう一つで終わりにしますね。秀美さんの感想文です。

「サンゴの骨が広がる浜が、人の骨の広がる浜へ変わるのは近いのだろうか。海が何時まで青色であり続けられるのだろうか。また青が緑が人の血と炎の赤で染まる日が来る。私はそんなことを思いながら、ただ傍観者のように飛んでいる戦闘機を見ていた……」

ほかにもいくつも話すことがあるのですが、これまでにしてバス

沖縄戦学習のまとめの場所・米須海岸。
大島和典さんは「この海を目に焼き付けて帰って」と呼びかける

へ帰りましょう。

みなさんよく聞いてくれました。お礼を申し上げます。最後にしっかりとこの海を目に焼き付けて帰ってくださいね。

沖縄戦の話はここでおしまいにして、この後は今の沖縄はどうなっているのか。基地問題に軽く触れる観点でのクイズなどを楽しみながら、ホテルへ帰りましょうね。

コラム　沖縄のアイスはなぜ美味しい

さあ、次はお昼ですね。ここで今までの沖縄戦の話から話題をコロッと変えて、美味しいものの話をしましょうか。それもデザートの話を。

みなさん、昨日沖縄へ着いたんだよね。もうアイス食べましたか。それも「ブルーシール」の！　食べた人、いない？　沖縄にはサーティワンやハーゲンダッツもあるけど、沖縄原産ともいうべき「ブルーシール」のアイスが美味しいんですよ。お昼の後、是非食べて見てください。そのアイスの話を食事の場所に着くまで少ししましょうね。

＊アイスはどう拡がっていったのか

そもそもアイスは16世紀半ばに、イタリアで冷凍技術が発明されて作られるようになりました。それまでは天然氷や雪をアルプスなどの氷室に保存して支配者などに氷菓として供していました。それがフランス、イギリスに伝わり、今は世界一のアイス消費国になっているアメリカに渡って行きます。

そのアメリカでアイスの工業化が始まったのが19世紀半ば。そのきっかけは牛乳会社が作って余った生クリームを何とか商品にと考えたことにあったのです。アイスの美味しさは含まれる乳脂肪分にかかっています。つまり乳脂肪分が多ければ美味しいわけです。

今、日本では乳脂肪分が８％以上なければ「アイスクリーム」と言ってはいけない、それ未満だと「アイスミルク」「ラクトアイス」などと表記しなければなりません。そもそも生クリームから作るわけだから、当時のアメリカのアイスは美味しかったわけです。

ボクが1955年のクリスマスにアメリカに行った時、世の中にこんな美味いアイスがあるのかと思った。今でもアメリカの規格は乳脂肪分10%以上です。その美味しい歴史をもったアメリカのアイスが、戦後3年たって1948年に沖縄へ持ち込まれました。

＊「沖縄戦」とアイス

沖縄のアイスはなぜ美味しい？　これには戦争がからんでいるのです。みなさん勉強してきたと思うけど、沖縄戦以後、アメリカは沖縄を占領していましたよね。それはいつまで続いたのか。誰か分かる人！　まあ時間がないからボクから言いますね。戦後27年間、沖縄は日本でなかったんだよね。その沖縄を占領していた米軍の兵隊、つまり米兵やその家族たちに提供するためにアメリカ規格のアイスが沖縄へ持ち込まれたのです。

当然基地で働いていた沖縄の人たちは、ＰＸ（売店）で食べる機会がありました。美味しいアメリカのアイスを味わう機会があった、これが沖縄の今のアイスが美味しい理由の一つです。

さてそれに対して日本のアイスはどうだったか？　日本では明治2年に横浜で初めてアイスが商品として売り出されます。その日が5月9日だったことから、5月9日が「アイスクリームの日」になっています。まあごく豊かな人たちのなかで食べられていたのでしょうね。

それが1941（昭和16）年に製造中止になります。1941年ってどんな年だった？　そう太平洋戦争が始まった年だよね。当時は軍需経済下で生クリームなど酪農製品は軍需物資、つまり軍が戦争に使う物資とされてアイスの製造が中止されたわけです。

食糧不足の戦後もしばらく、正確には戦後5年後の1950年頃までは、アイスは作られませんでした。だからボクなんかが戦後食べた「氷菓」はアイスキャンデー。人工甘味料で甘くした色つき水に、割り箸を突っ込んで凍らせたものでした。そんな時期、沖縄では乳脂肪分タップリのアイスが食べられていたのです。

＊「さぬきうどん、なぜうまい？」と沖縄のアイス

ボクの生まれは香川県だと言いましたよね。香川県で美味しいものは何か？

分からない？　香川県は昔は「讃岐（さぬき）」と呼ばれていました！　もう分かったよね。そう「さぬきうどん」。さぬきうどんはなぜうまいか。讃岐は昔から小麦がよく穫れていました。それで讃岐では棟（むね）上（あ）げとか法事など人が集まるときや、自分の家でもよくうどんを打って食べていました。そんな風習のあるところで「うどん屋」を開こうと思ったら、各家で作っているうどんのレベルを抜かないと駄目だよね。その土地の産物の歴史、風習、それによって鍛えられた人々の「舌＝味覚」の歴史が、その土地に美味しいものを作り出すのです。

沖縄のアイスが美味しいのはそこにも理由があります。戦後すぐから美味しいアメリカ規格のアイスを食べてきたという歴史が、今の沖縄のアイスを美味しいものにしているといっていいでしょう。美味しいものを食べるにはその土地へ行け！　と言いますよね。

だから沖縄へ来たら沖縄のアイス、また沖縄素材の料理メニューをしっかり食べて

ブルーシールアイス

帰ってくださいね。それも食文化という文化を学ぶまたとない機会なのですよ。

＊優美堂の「サーターアンダーギー」

みなさんは、お昼はどこで食べるの？　えっ「優美堂」？　それは良かった！　そこの「サーターアンダーギー」を是非食べてみてください。「サーターアンダーギー」、サーターは砂糖、アンダーは油、アギーは揚げ（沖縄は母音が三つですからアゲーはアギーになるわけ）。沖縄のおばあなどは、砂糖の天ぷらと言ったりします。まあ沖縄風球形ドーナツとでも言ったら分かりやすいかな。

沖縄で一番ポピュラーなお菓子と言っていいでしょう。これがうまいというより、「優美堂」（「ひめゆり」の真ん前）のはうまい！

ドライバーさん、ガイドさん、どうですか？　おふたりとも頷いておられます。えっ、ドライバーさんは「日本一だ」と言っていますよ！　そう、沖縄一だと日本一になりますよね。ここの味を100点としたら、空港などで売っているのは50点だとボクは思っています。

大鍋で揚げるサーターアンダーギー

裏ごししたカボチャを練り込んでいて、本当に美味しいです。優美堂の一階に入ったところで、大きな鍋でおばちゃんがガンガン揚げています。買うときはぜひ「アチコーコー（熱々）のを！」と言ってくださいね。冷えても美味しいけど、熱々のが数段美味しいですから。

あるときみんなが買いに集中して、売り切れてしまいました。ひとりの少女はそれでも次のが揚がるまで大鍋の前で待っていました。この子は一番美味しいサーターアンダーギーを食べたのではなかったかと思っています。

ボクなどいつも、食後はアイスにしようかサーターアンダーギーにしようか迷っています。先に案内した学校の生徒さんなどは、右手にアイスを、左手にサーターアンダーギーを持っていました（笑）。

＊ボクの好きなアイスは

ボクの好きなアイスのフレーバー（風味）は「うべ」。割ったら紫色している甘藷（かんしょ）が「紅芋」。割ったら紫色している山芋が「うべ」。ボクはいつも「うべ」の大人の味を楽しんでいます。

多くの学校は複数台数のバスで来ます。良く顔を合わせる仲間の若いガイドは、いつも「マンゴータンゴ」を。ボクは「そんなのは子どもの味！　大人ならうべ！」とからかい気味に言っていました。次に彼と会った時、彼の手にあったのは何と「うべ」！　ボクが持っていたのが「マンゴータンゴ」！　この話をすると例外なくバス中が大笑いになります。

なになに、ボクがお店からコミッション貰っているのかって？？ノンノンノン！　ボクは単なる「美味しいもの食い」で「教えたがり屋」だけです。

えっ？　みなさんの学校はお小遣い使えるのは最後の日だけ？　わあ〜〜〜〜〜っ、ゴメン、ゴメン！　みなさんの食欲を煽ってしまい申し訳ありませんでした。でもブルーシールのアイスは最後の日に食べてください。

＊ブルーシールは一度味を変えた

ブルーシールの会社は一時、乳脂肪分を植物性油脂に変えています。したがって「ラクトアイス」の扱いになっているのですが、これが沖縄の風土に合っているのです（ブルーシールの英語版宣伝文にも「沖縄の気候に合った」と書いてあります）。ハーゲンダッツなどには「スーパー・プレミアム・アイスクリーム」という乳脂肪分13%のものがあります。これは美味しいですがヘビーで胃にもたれます。それに対してブルーシールは沖縄の風土にあった軽いものにしています。

プラス沖縄独特のフレーバー、例えば紅イモ、うべ、サトウキビ、マンゴータンゴなどの製品を作り出し成功しています。アイスは沖縄ではブルーシールのシェアが一番ですから、どこでも食べられます。しかし優美堂のサーターアンダーギーは、優美堂にしかありません。

少し先になると思うけど、新婚旅行で是非沖縄へ来て、優美堂で食べてください（笑）。あっ着きましたね。唾液もたくさん出ているでしょうから、美味しくお昼を食べられますよ。

バスの出発は午後１時です。遅れないようにね！

5 「嘉数高台」を歩く

ここ嘉数高台は沖縄に関する平和学習をする上で大事なところです。沖縄戦で本格的な地上戦が始まった場所であり、かつ目の前に見える普天間飛行場から沖縄の基地問題を説明出来る場所でもあるのです。

いわば沖縄の過去、現在、未来を語ることが出来るところなのです。

1　展望台で

みなさん、この円形の屋根の下に集まってください。この形、何かに似ていませんか。そうです。パラボラアンテナに似ていますよね。この下でボクが喋り、みなさんがこのアンテナの中にいたらボクの声がよく通ります。このアンテナの端から外れると少し声が小さくなります。

パラボラアンテナは前からの電波や音を焦点に集めます。このアンテナの焦点はその階段付近です。ボクは元ＴＶ技術者でしたから、その役立ちは分かります。みなさんの町や村で行われている盆踊りの「音頭出し

嘉数高台の展望台でガイドをする大島和典さん

（歌う人）」は、大きな傘の下で歌っていませんか。大きな朱色の傘が声が上に抜けるのを防ぎ聴衆の方に声を向けます。

そのことが分かるので「アンテナの下に入ってください、その方が良く聞こえますよ」と言っています。ただこれを作った人はそのことに気付いているかどうかは知りませんが（笑）。

1．沖縄の過去、つまり沖縄戦

＊米軍上陸地点

まず左に広がっているあの突端が残波岬なのですが、あそこから読谷、嘉手納、北谷の海岸一帯に米軍が上陸しました。

1945（昭和20）年4月1日でした。米軍はその直前、3月26日に左後ろに見える慶良間諸島に上陸し座間味島、渡嘉敷島などを占拠し「集団自決」（約535名）が起きました。そのあと米軍はあの海岸に上陸したのです。米軍の上陸兵力は4軍合わせて約55万、それに対して日本軍の防衛兵力は約11万。5倍の米軍が来たわけです。日本軍はあのニードルロック（日本軍の呼び名では為朝岩）方向にある首里城地下に司令部がありました。

少数でしたが日本軍も北部にも部隊を配備していましたから、米軍は北へも向かいます。しかし日本軍が司令部を首里城地下に置いていましたから、当然米軍は主力を南へ向けます。4月8日からこの嘉数高台の線から大激戦が始まります。東のあの丘（あの建物は琉球大学の付属病院です）とここ嘉数と、さらには西の高地を結ぶ線が日本軍の第一の防衛線です。

後ろに見える丘が前田高地で第二の防衛戦、ニードルロック方向の首里城地下の司令部の西にあるシュガーローフと三角形の運玉森（うんたまむい）が首里城司令部を守る最後の防衛線でした。従ってこの線から第三の防衛線までの間が、一番の激戦地になりました。

嘉数高台から北谷方面を望む

＊戦いの実態例

例えばこの付近の闘いが始まった４月９日、米軍は30台の戦車を出して嘉数高台の後ろに回り込もうとしました。

見たら分かるようにこの前は小さな渓谷になっていますよね。だから戦車は簡単には通れません。あの陸橋の付近は一本道しかなかった。そこに日本軍は地雷を仕掛ける、周りの高地から十字砲火を浴せるように大砲などを配置していました。結果その日、米軍の戦車は無事に帰れたのは８台だけだったのです。道ばたや少し高台になっているところのタコツボに潜んでいた日本軍兵士が、急造爆雷を戦車のキャタピラーめがけて投げるのです。

戦車は片方のキャタピラーが切れたらぐるぐる回り始めますよね。そのままでは戦えないので、戦車兵は天蓋を開けて出てきます。それを日本兵が狙い撃つ、飛び乗り手榴弾をたたき込むのです。なによりも怖かったのが爆雷を抱えてキャタピラーに飛び込む、つまり「自爆」です。これが一番怖かったと米軍の准戦史「The Last Battle of Okinawa」に書いてあります。

激戦地だった前田高地を眺める

数年前にこの展望台で、沖縄戦当時この付近で戦っていた名古屋出身の日本軍兵士・日比野勝弘さんからじかに聞いた話ですが、彼はこの右の下付近で沖縄で動員された防衛隊員を連れて潜んでいたのです。

「自爆させせろ」と上官から命令されていたのを、それを守らなかった。その夜、彼は上官から厳しく叱責された。「明日は絶対飛び込ませせろ！」と。しかし次の日は米軍は戦車を出さなかったので「飛び込ませせる」、つまりは死なすことはなかったと言っていました。

そんな戦闘がこの辺りで起きていたのです。

＊嘉数高台の重要性

米軍はこの嘉数高台を抜くのに16日、あの前田高地を抜くのに10日（嘉数高台を米軍が占領して前田高地の攻略にかかったという意味でなく、嘉数高台を迂回したため日本軍は移動せざるを得なかったということです）、シュガーローフを抜くのに6日かかったと言われています。

だんだん日数が短くなるのは何を意味しますか？

そうです。それだけ日本軍が兵力を失っていった＝戦死していったということです。

そして日本軍が首里城地下の司令部を捨て、さらに南部へ撤退を始めたのが5月27日でした。

そういう風に沖縄戦は米軍があの海岸から上陸してこの辺りを抑えた上、さらに南部へ南部へと日本軍を追い込んで行ったという過程が、じかに目の当たりにすることが出来るのがこの嘉数高台なのです。

「沖縄戦を勉強する」にはここから始めるのが一番イメージを作りやすいのです。

2．沖縄の現在(いま)

目の前に見えるのが「辺野古問題」で揺れている基地問題の発火点・米海兵隊普天間飛行場です。あそこに駐機しているのが2012年に配備されたオスプレイです。

＊沖縄国際大学にヘリが墜ちた

あの右手向こうにベージュ色の結構大きな建物が見えますね。

あれが沖縄国際大学です。2004年8月13日に米軍の大型ヘリCH53Dが構内に墜落しました。爆発、炎上するという事件です。

間近まで住宅地が迫る米海兵隊普天間飛行場と駐機するオスプレイ

2004年８月、米軍ヘリの墜落炎上で壁が黒くすすける沖縄国際大学の校舎（宜野湾市）

このＣＨ53Ｄヘリというのは、長さが23メートルあります。みなさんが乗って来たバスは何メートルあるか？　11〜12メートルです。つまり長さは倍、巾も倍近くあります。それが大学の構内にドンと落ちた。

すぐ横は県道、そしてマンションがあります。そのマンションの一室に墜落したヘリの部品が飛び込んで来て襖を破り、ＴＶがあって当たって落ちた。そこに赤ちゃん寝ていた！

この若いお母さんは階下の妹さんと携帯で話していて、妹さんが「ヘリが落ちる、落ちる」と叫んだために、状況が分からないまま赤ちゃんを抱いて飛び出した！

大学は夏休みだったため学生の多くはいませんでしたから、幸い大事件となりませんでした。乗員３名が負傷しただけだったのですが、これは単なる事故ではありません。防衛省のある役人が、「あの事件が再び起きたら沖縄の米軍基地は維持出来ない」と言っていたという、政治的な事件なのです。

事件当時、伊波洋一市長（当時）は近くで報告会をしていたのですが、すぐ現場に急行、そこでの話です。あるおばあは、「戦争だ！戦争だ！　と叫んで飛び出して来た」。きっと沖縄戦の体験者だったのでしょう。また５歳の男の子がかたわらの父親に、「お父さん、ここはイラクなの」と聞いたといいます。当時はイラク戦争の最中でした。

＊墜落の原因

ヘリが墜ちた原因は、あのヘリを分解掃除をした整備兵が睡眠不足になっていて、ある部品を入れ忘れたことによります。イラク戦争の最中で、ここのヘリをイラクに運ぶために徹夜状態で仕事をしていた。サブローターを分解掃除をして組み立てた時、最後のナットが外れないようにするコッターピン（割りピン）を入れ忘れた。当然のように飛び立ってしばらくしてサブローターが抜け落ちた。

これが原因だったと米軍はしばらくたって発表しました。

＊あぶり出された「治外法権」

ヘリ墜落直後、米軍（海兵隊員）はフェンスを乗り越えて大学構内に飛び込んで来て、消防も警察もメディアもシャットアウトした。メディアがこの県道から報道することを許されたのは事件から３日後でした。

沖縄県警も宜野湾市長も、ましてや大学の自治という特別の権利もある大学学長も現場へ入れなかった！

これって何ですか？　治外法権ではありませんか。みなさんも中学で学んだのではありませんか。その国の主権が及ばない地域を治外法権と呼ぶのではありませんか。ボクもそれが一般的に治外法権ということを知っています。しかしここ沖縄にそれがあるということに驚きました。日米安保条約に基づく日米地位協定の存在がそれを許しているのです。

日本国内では交通事故があっても警察が現場検証を行います。それさえ米軍は許すことなく、破壊された機体を勝手に運び出しました。その後、日米間で協議をして現場は米軍が抑え、その周辺を日本の警察が警備することが決まったとのことです。これって形は少し変えていますが、治外法権そのものではありませんか。

＊ストロンチュウム90

現場で防護服を着た米兵がガイガーカウンターで何かを測っていました。ガイガーカウンターって何？　という人もいますが、言い方を変えて「線量計」といったら、福島の原発爆発で有名になりましたから分かりますね。つまり放射能の量を測る計器です。

それで何を測っているのかとメディアが追求すると、ヘリの回転翼の根元にストロンチュウム90を埋めている。それを探しているとのこと。なぜヘリのローターに使っているのか……。

ヘリのローターは中空になっていて、ストロンチュウム90と放射性物質検出器を付けておくと、ローターに亀裂などが入ったらその変化がすぐ分かる。そのために使っているのです。

ボクはＴＶのプロデューサーをやっていましたが、元々はＴＶの技術者でした。そのボクなどから考えると電気で出来るわけです。しかし電気だと途中で断線などして途切れる可能性がある。それに対して放射性物質だと放射能を出し続ける。それが理由です。

しかもストロンチュウム90の半減期が28・８年で、ヘリの機体の寿命と「合う」のです。軍事目的で放射性物質を使う。整備員、操縦者の安全・健康などは二の次、三の次なのです。それが軍隊の本質なのです。

ＣＨ53Ｄにはローターが６枚（今はＥ型で７枚）ですから、ステンレス容器に入って６個ありましたが、５個は見つかったのですがあと１個が見つからない。爆発炎上した折に気化して誰かの肺に入っていたら、ストロンチュウム90は骨に着く性質をもっていますから、誰かが肺がんなどを発症しているかも知れません。

＊危険な基地はいつ作られた？

2003年11月、米政府のラムズフェルド国防長官が視察して「世界一危険な基地」と言ったこの普天間飛行場は、いつ作られたのか。

それは1945年6月初頭です。6月といえば南部でまだ激戦が続いていた時期です。

米軍は1943（昭和18）年頃から、現在の普天間飛行場も含め何か所かに航空基地を作る計画を立てていたとの資料もあります。1945年4月に沖縄本島に上陸し、南部へ南部へと日本軍を追いつめていく過程で、ここ宜野湾村（当時）に基地を作ることを始めたのです。

この基地と当時の宜野湾村を重ねた図です。

これで見ると分かるように宜野湾村役場、国民学校など村の中心部分が普天間飛行場になっています。点線で引かれているのが普天間神社に至る松並木（約6キロ、約3000本があった）です。

戦前（1944年）の宜野湾村と普天間飛行場の重ね図

以前、百田（ひゃくた）尚樹という作家が自民党議員の勉強会で、「普天間飛行場のあるところは田んぼだった。それを沖縄の人が金目当てに集まってきた」と言って沖縄の人の怒りをかいました。

沖縄の人々は沖縄戦後、例外なく最終的に12に集約された収容所に入れられました。彼らが村や集落（元あったところという意味ではありません）に帰されたのは早いところで半年後、遅いところで5年後、なかには10年後というところもありました。村や集落に帰って見たらそっくり基地に奪われていたのです。従ってその近くに住まざるを得なかった。返還されたらすぐ中へ入って家を建て、田や畑を耕すことを考えていましたが、それが実現しなかった。そのままで今日にいたっているのです。

＊クリアゾーンとは

クリアゾーンは元宜野湾市長の伊波洋一さん（現・参議院議員）が米海兵隊のＨＰから見つけたものです。クリアゾーンとはヘリや回転翼機が墜落する可能性が高いエリアを意味します。

滑走路の端から高さ 900 メートルで、長巾 700 メートル、短巾 460 メートルの台形をしたエリアです。米軍はアメリカでは危険性を認めてこのエリアには人は住めない、ましてや公共施設などは作ってはならないとされていてそれを守っていますが、沖縄では見たら分かるような状況です。

このエリアに小学校、保育所、公民館など 18 の公共施設と約 300 戸の住宅があり、約 3600 人が暮らしていると言われています。

ボクら沖縄平和ネットワークの基地部会で、この両端のエリアを調査しましたが「これは危ないな」と感じるエリアでした。

ましてや嘉数高台の反対側のクリアゾーンには小学校があります。普天間第二小学校です。約 700 人の児童が勉強しています。ここのグラウンドがフェンスに接していて、向こう側が基地です。

ここでは「ヘリが、飛行機が墜ちたらどう逃げるか」の訓練を毎年しているのです。そんな学校、日本国中、どこにありますか！　それが沖縄の一つの現実でもあるのです。

以前、平和ネットワークの基地部会員数名で、普天間飛行場のフェンス沿いをずーっと歩きました。途中で当然この小学校に通りかかります。ちょうど下校時で、ひとりの少年、４年生ぐらいの男の子が近寄ってきました。

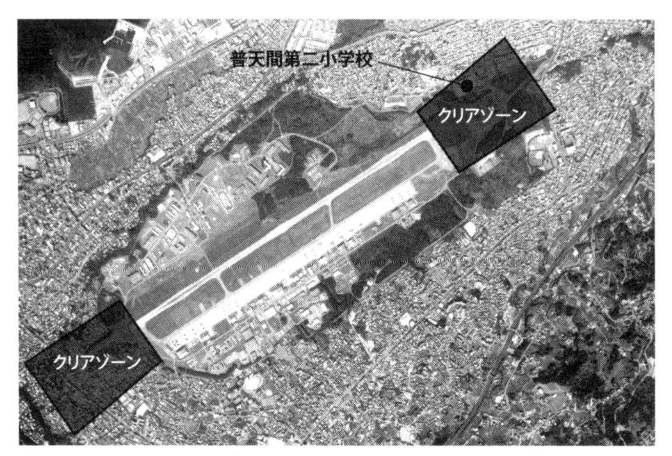

普天間飛行場とクリアゾーン。アメリカ本国ではクリアゾーンに人は住めないが、沖縄では住宅、学校、保育所、公民館などが入っている（国土地理院空中写真を元に作成）

「おっちゃんらどこの社か？（どこの新聞社かの意味）」「飛行機、見に来たのか」と詰問するように問いかけてきました。その時ボクは「あーっ！　この少年も傷ついているのだ！」と思いました。このエリアに住んでいる人々も、みな同じなのです。

それまで修学旅行で来た学校などの要求で、バス規模でフェンス際へ案内することは時たまあったのですが、その後は先生にもそのことを話して止めてもらいました。

＊オスプレイはどんな訓練をするのか

今、目の前の普天間飛行場の右側の駐機場に並んでいるのが海兵隊仕様のオスプレイＭＶ22 です。

24 機配備されていますが、本土へもこれから飛んで行くだけでなく配備されていきます。ボクが働いていた徳島県の南部に「オレンジルート」と呼ばれるオスプレイの訓練ルートの一つがあり、ここを飛びました。彼らは何を求めて本土へ行くのでしょうか。

まず地形が必要なのです。つまり沖縄は自由に使える、しかし狭

駐機するMV22オスプレイ

い。そこで彼らが訓練出来るいろんな地形が欲しい。そのために各地へ飛んで行くのです。中東とか中国や北朝鮮に似た地形が欲しいのです。

滑走路の左側にフライト・シミュレーション装置が2台あります。コンテナーのような形をしています。そこには徳島県南部のオレンジルートの映像、つまり徳島県南部の町並みも映っているのではと思っています。

沖縄の伊江島でオスプレイが何かを運んでいる写真を見たことがあります。これが何か？　いろいろとネットで探しました。遂に見つけました。「コンクリート塊」です。しかもうれしいことに重さが7000ポンドと書いてあります。1ポンドは450グラムです。つまり、この「コンクリート塊」の重さは3・15トン。

米海兵隊の最大の榴弾砲（りゅうだん）＝155ミリ榴弾砲の重さが、何と3・175トン。つまり榴弾砲を運ぶ訓練をしているといってもいいでしょう。

米軍の訓練ぶりなどに触れる機会の多い沖縄ですが、頭上を大砲をぶら下げて飛ぶということは、さすが出来ません。たちまち反対運動が起きます。それでコンクリート塊を使って飛んでいるとみていいでしょう。

ところでなぜ榴弾砲を運ぶのにオスプレイを使うのでしょうか。

榴弾砲は撃ったら閃光(せんこう)が光ります。相手軍から見たらどこに大砲があるかが分かります。従って位置が分かる前に移動しなければ反撃にあいます。155ミリ榴弾砲は車で移動できますが、オスプレイで運ぶのが早いからかも知れません。

ボクはやがては本土でも、オスプレイで榴弾砲を運ぶ訓練があるのではと思っています。

ボクは沖縄へ来た当時から、「本土の沖縄化が進んでいるよ」と言っています。これからの本土の状況を先んじて見ることが出来るのが沖縄なのです。

＊オスプレイが来た日

普天間飛行場にオスプレイが最初に来たのは2012年10月1日でした。ここ嘉数高台展望台の最上階には、本土から来たメディアの人たちが大勢いました。彼らは皆、饒舌でした。その時ボクもそうだったと思います。何か初めてのことがあり、しかもそれがかなり重大な情報で、「絵」になるとあれば、メディアの連中はワーッとハゲタカのように集まります。

それに対して後ろにいた沖縄の人々は静かでした。物見遊山的に来ているのではありませんでした。その中の「おじい」が言ったことが、今でも脳裏に焼き付いています。この階段を降りながら捨て台詞のように、「我々はこれからこれ（オスプレイ）と対峙(たいじ)しなければならないのか」と言った言葉……。

その日、オスプレイの１番機、２番機は右方向（中城村方向）から来ました。右からこの普天間の滑走路にグーッと回り込んで着陸しました。それに対して３番機、４番機は後ろ方向（那覇市方向）から来ました。いろんな方向から飛んで来て、いわばテストをしていたのかも知れません。１番機から４番機までいずれもヘリモードでした。

オスプレイは離着陸するときはローターを上へ向け（ヘリモード）、それから転換モードに変え、最後に固定翼モードにして飛んで行くという構造になっています。しかもヘリモードへの変換は基地の上で変換することになっているのですが、この３番機は我々がいうヘリモードになっています。右から入った１、２番機も同様でした。３番機と一緒に那覇方向から来た４番機も同じでした。

しかし彼ら（海兵隊）は、ヘリモードの定義は「ほぼ垂直」として、「これはヘリモードでない」と言い張っています。

オスプレイはヘリモードから変換モードへ、さらに回転翼モードに変える（逆も同じ）、変換する時が一番危ないのです。オスプレイは試作機段階からよく墜落しウイドー・メーカー（未亡人製造機）、フライング・シェイム（空飛ぶ「恥」）と呼ばれています。

大島さんの自宅上空を飛んだオスプレイ

この写真ですが、ボクはここから４、５キロ南の浦添市に住んでいますが、そのマンション１階を出たところで撮したものです。左端に少し建物が写っていますが前の８階建てのマンションです。

こんな角度でこんな距離感で飛んでいます。このオスプレイの角度は、確実に90度（直角＝真上）に近いですね。

＊オスプレイが起こす低周波騒音

そしてオスプレイは低周波騒音を出すことが問題になっています。ボクが住んでいる浦添でも、オスプレイが飛んだらすぐに分かります。重低音が響くのです。ボクらの耳では聞こえない低い周波数の騒音が含まれているのです。それは真上に来たら特に感じます。

普天間飛行場の近くに住んでいる人は、オスプレイが飛ぶとサッシや雨戸が揺れるといいます。それで思い出すことがあります。1970年ころでしたが、津波や火山爆発など大災害のシーンを再現することを「売り」にしている映画があり、舞台に大きなスピーカーを置いて、そこから大爆音（重低音）を流すのです。座席に座っていて腹に響くような音です。しかしその映画の上映及びスピーカーの設置はすぐストップしました。それは重低音が健康上悪いということが分かったというのです。

そういう重低音がオスプレイから出るのです。

3．沖縄の未来—返還させたらどう使うか

普天間飛行場はラムズフェルド米国務長官（当時）が「世界一危険な基地」という前から、その危険性は認識されていたのでしょう。

1995年の米兵による少女暴行事件があった次の年、ＳＡＣＯ（Special Action Committee on Okinawa ＝沖縄に関する特別行動委員会）を設置、橋本首相とモンデール駐日米大使（いずれも当時）が普天間飛行場を５～７年で返還することを決めました。それから20年以上経っているのですが、まだ普天間飛行場は動いていません。

普天間飛行場の返還が決まってからでは遅すぎるということで、

伊波洋一宜野湾市長らはプロジェクトを立ち上げました。「返還させたらどう使うか」と考え、プランを創り、その模型も作っていました。ただその後は宜野湾市長選挙で「日本会議」のメンバーの佐喜真淳氏が当選しましたが、動きはまだ継続しているようです。

ところで米軍は基地を返還する時、どうするか？

出ていくだけなのです。あと処理は放りっぱなし！　あとの処理は日本の税金でという具合です。例えばこの飛行場が返ってきたら、滑走路をめくって地下埋設の電線や上下水道などを通し、地籍を確定し、公園などのスペースを決めるなどをして、初めて地主の使用に供せるのです。

ここの滑走路はただの舗装ではありません。人員や物資を積んだ巨大な輸送機も降りるのです。コンクリートの厚さが何メートルあるのかわかりせん。それをめくるだけでも大変です。

そこで当時の伊波市長が考えたのは凄いことでした。この滑走路を道路として使うということです。沖縄本島には縦（正確には斜めに）に二本の国道が走っています。330号線と58号線ですが、実はこの二本では足りなくなっています。那覇の北の浦添市、宜野湾市などは人口が増えていてもう一本国道級の道が欲しいのですが、そのど真ん中に普天間飛行場が居座っているために、それが叶いません。またこの基地の左前方は嘉手納基地ですから、それまで通すのは今のところ無理でしょう。しかし南の方向はほとんど民有地でしょうから、那覇までは行政の努力で何とかなるのではないかと思います。

取りあえず道として使うのでしたら、滑走路をめくる必要はないわけです。例えばペンキなどで「ここからここまでは道だよ」と表示するだけでいいのです。さらには将来その道にモノレールを抱かすというアイディアもあります。

さらに滑走路の左側、いま兵舎が建っている付近から海方向へ落ち込んでいますが、あの辺りは市民のための公園にする。しかもこの普天間飛行場の地下には、観光資源として使える鍾乳洞が3、4か所あるそうです。聞いただけでもイメージが湧いてきますよね。

右の奥の方に市役所や消防署などがあり、それに結合するような形で文教地帯を、住宅地、商店街などを形成すると伊波市長は考えていたようでした。

今の新都心などは細切れ返還でした。地主の土地も確定しなければならない、そんな事情も加わり完全に返還地が使えるようになるには、20年以上かかりました。そのことを踏まえた上で、伊波市長は計画を先行させるということをめざしたのです。

沖縄の新聞には下のような広告がよく載ります。また大きく「軍用地売ります、買います」と書いた横断幕も見かけます。軍用地、つまり基地内の土地です。本来は売買できても使用できません。それを売り買いするのです。

例えば年間地代として100万円入る土地は、×（掛ける）アルファで売買されます。このアルファは何か。

その土地、基地が返還される「返還予想年数」です。不動産屋などが勝手に決めた数字ではあるのですが、例えば嘉手納基地などは一番大きくて30台です。ボクの見解ですが、30年余は返ってこないと見ているわけです。

また日米合同委員会で協議し発表されるたびに、「嘉手納より以南」の基地のアルファがちょっと下がる。そんな風に基地の土地が

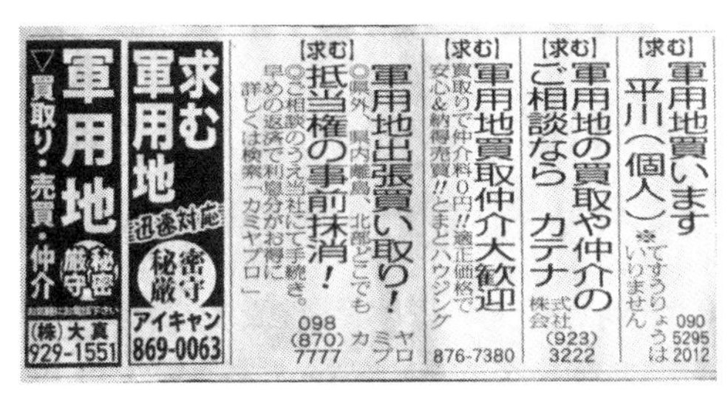

軍用地売買の新聞広告

売買される。

普天間飛行場で売ってくれる土地があったら宜野湾市が買う。そのために伊波市長時代、大きな額ではありませんが予算化していたのです。それが全部出来て買えても、土地の広さは基地の９％位ですが……。それでも理論的には正しいし、現実的でもあります。仮に基地が返ってくるときに全部の土地を買ってあったら、市の計画通りにすぐ始められるのです。これはいい考えだと思います。

こんな計画もあることを考えて、本土のみなさんは沖縄の人々の願いに寄り添って欲しいと思っています。

この基地は宜野湾市の25%を占めています。そこで働いている人は200人です。基地が返ってきたら、その雇用・経済効果は計り知れないものがあります。

この基地が返ってきて、沖縄全体にある基地の何%が返ることになるでしょうか？　わずか２・６％です（2021年５月現在）。

こんな風に沖縄の過去、現在、未来を繋げて学べるのが、この嘉数高台です。それらを総合的につかんだ上で、沖縄の未来について考えていただければと思います。

それでは下に降りて４か所ばかり沖縄戦の話をしましょう。

２　展望台下で―沖縄戦に関しての追加

＊トーチカ

これがトーチカ。トーチカって何か？　「♪燃えろよペーチカ♪」と歌うロシア民謡がありますが、ペーチカは暖炉のことです。トーチカ、ペーチカはともにロシア語です。

トーチカ。コンクリートで作った堅固な陣地のことです。この言葉は日露戦争の時から使われるようになりました。ボクの満州時代の幼稚園の運動会で、匍匐前進して相手のトーチカを攻めるシーンの写真がありました。

北側斜面にあるトーチカ

この斜面は北に向いていますね。つまり米軍が攻めてくる方向です。このトーチカに閉じ籠もって米軍を迎え撃つのですが、当然のように米軍の砲撃にさらされます。

下へ降りて見ましょう。裏面と比べてください。裏は弾が飛んできませんから破壊されていませんね。それに対して北側は徹底して破壊されています。

この２つが銃眼といって、ここから機関銃や小銃を突き出して迎え撃つのです。先に展望台でこの付近で戦っていた日比野勝弘さんのことを話しましたが、米軍はスコープ付きの銃でこの銃眼を狙っていて、そこに兵士が見えるとすぐ撃ってくるので危なくて使えなかったとのことです。

また当時の嘉数の方に聞いたのですが、裏の嘉数集落では若い女学生たちがコンクリートを煉り、少年たちがバケツで運び上げて、これを作ったと言っていました。こんなトーチカは２、３か所はあったそうです。

コンクリートで作られたこともあって残っているのですが、貴重な「戦争遺跡」のひとつです。

＊京都の塔

ここは平和学習の上で大事なところです。

なぜここに「京都の塔」があるのか。沖縄には沖縄県以外の46の都道府県の慰霊塔が全部あります。摩文仁の丘に32、魂魄の塔付近に10、あと4か所は散らばっていますが、ちなんだ土地に建てられたのは、この京都の塔だけです。ここで戦った62師団のかなりの兵士が京都出身だったので、この場所にに建てられているのです。

ここで何を学んだらいいのか。それはこの碑文です。

「……又、多くの沖縄住民も運命を共にされたことは、まことに哀惜にたえない。」

沖縄にはさっき言ったように、46都道府県の慰霊塔があり、その中には少数ですが碑文のないところもあります。ボクが仕事をしていた徳島県の「徳島の塔」は摩文仁の丘にありますが、幸いなことに「ややこしい」碑文はなく、徳島県の「青石」で作られたとだ

京都の塔。碑文に沖縄県民の犠牲についても記している

け書かれています。その他の多くの碑文は、あの戦争に対する反省や総括などが全くなく、「あの戦争は何だったのか」と言わざるを得ないものばかりです。

とくに沖縄では住民をも巻き込んだ（捨て石にした）戦争だったのです。兵士より住民の犠牲が多かったのです。当然、碑文にはそのことに触れてもいいのではありませんか。それが普通でしょう。この京都の塔は沖縄の住民の被害に短いですが触れています。

このことに触れた碑文がある慰霊塔は、２つだけです。１つはここ、あとは摩文仁にある「近江の塔」（滋賀県の塔）です。しかもこの後半の部分「今後の沖縄との友好」を併せて書き込んでいるのはここだけです。

日本軍が満州、中国などから兵士を送ってきて沖縄を戦場にしたのです。それなのに住民らの被害にふれず、郷里出身の兵士だけの霊を慰める碑文を作った人（層）の感覚、歴史認識に恐ろしいものを感じます。もしかしたらみなさんの気持ち、考えの中にもこんなことがあるのでは……。

沖縄での平和学習は、沖縄の現実から何を学ぶか、今まで気付かなかった新たな視点などを獲得することも重要なのです。

碑文の裏に回ってください。碑文を作った人々の名前が出ています。ここに書かれている蜷川虎三（にながわとらぞう）さん。当時（1964年）の京都府知事です。彼から始まって東京都に美濃部知事が、大阪に黒田知事が、ついに沖縄に屋良（やら）知事が生まれるという、1960年代後半当時の政治的な流れへと繋がるのです。

いま戦争の道を突き進んでいる安倍政権など生まれようがなかった時代でした。そんな時代だったからこそ、このように「沖縄県民の被害に触れた碑文」が生まれたとボクは思うのです。昨今のような政治状況からは考えようもなかったでしょう。

碑文一つからもこんなことが読み取れるのです。野中広務の名前もありますね。ボクが仕事をしていた徳島県の後藤田正晴、ともに保守の政治家ですが「戦争ＮＯ」という点では、しっかりしていました。

沖縄戦の学習をここから始める値打ちがあるというべき「碑文」です。

＊裏側の陣地壕

ここは日本軍の陣地壕でした。位置関係をしっかり抑えて置きましょうね。

この階段の向こう側から米軍は攻めてきました。この上の嶺が邪魔をしますから米軍の砲弾はこの裏側には届きません。つまり反斜面陣地なのです。反斜面陣地。日本軍はこんな嶺の裏側に陣地を設け、空からの空爆が終われば、ここから出て米軍を攻撃します。その場合、放物線状に弾が飛ぶ迫撃砲を使います。日本軍の場合、擲弾筒（てきだんとう）を多く使いました。小型の迫撃砲です。つまり放物線状にこの嶺越しに撃ちます。これに米軍は悩まされます。なにしろ日本兵の姿が見えないところから砲弾が飛んでくるのですから……。

南側斜面に遺る

それで困ってこのよう

な反斜面陣地を攻撃するために、展望台でも話しましたが、裏側の嘉数集落へ回り込もうとして4月9日に戦車30台を出したのです。その結果、地雷、砲撃、急造爆雷による肉薄攻撃に遭遇して、無事に戻った戦車は8台だけという大被害を米軍は被ることになりました。

いまここは落盤が多いということで、ボクたちも入ったことありません。この陣地壕は先ほどのトーチカと繋かっていると思われますが、ここの説明板には「？」が付いていて、繋がっているかどうかは確認されていないとなっています。

そんな苛烈な日米間の戦いに巻き込まれ、嘉数集落の住民は約54%の方が亡くなっています。

＊弾痕のある塀

嘉数高台に上がる階段の下に、弾痕のある塀があります。この集落の人がいうには豚小屋の外にあった塀だとのことです。その当時の弾痕がある写真があり、それをつなぎ合わせて復元した「塀」がこれです。この塀の破片はボクが沖縄へ来た2004年当時からありましたから、いつ復元するのかと心配していました。それが最近復元されて安心しました。これも大事な「戦争遺跡」です。

この辺りで米海兵隊、時には米陸軍の兵士が来て平和ガイドならぬ、「戦争ガイド」が説明しているところにぶつかります。

復元された弾痕のある塀

帰国子女が6

1980年代にはこのような弾痕が残っていた

割という高校の生徒を案内していた時、「誰か何を話しているかよく聞いて来て」とお願いして、その後でバスで話を聞いたことがありました(彼ら彼女らはかなり英語を聞き取れます)。

「戦争ガイド」は下級兵士対象らしく、どんな武器を使い、どんな戦い方をしていたかを中心に話していたそうです。

しかしここには陸上自衛隊の幹部候補生たちも来ます。その時の講師の上官は、「あれが○○高地で、日本軍はどういう配置だったか」など、戦術的な話をしていました。最先端で戦う兵士と、指揮官になる連中とは学習内容も違うんだと感じたことがありました。

沖縄へ来て、「沖縄の過去、現在、未来」についての取っかかりを学ぶには、ここ嘉数高台はベストといえる場所なのです(1時間では少なすぎると思いますが……)。

6 「安保の見える丘」案内

この丘は「安保の見える丘」と呼ばれています。昔のガイドブックなどには「サンパウロの丘」と書かれていました。この丘は階段も含め整備する前は軽トラなどで上がることが出来ました。ブラジル移民帰りの人がここで軽トラによるパーラーを開いていたようです。それで「サンパウロの丘」と呼ばれていました。

またその時期、沖縄平和ネットワークと沖縄県平和委員会とが力を合わせて、ここで監視行動を始めていたのです。その時、何かいい名称がないかと先輩たちが考え出したのが「安保の見える丘」。まさにここの丘にふさわしい名称です。

安保の見える丘。奥は嘉手納基地

1990 年代の安保の見える丘でのフィールドワーク。現在は基地との境の「塀」が高くなっている

目の前に存在する広大なアジア最大の米軍・嘉手納基地、ここからかつては爆弾を積んだ米爆撃機がベトナムへ飛び立った場所です。今でも各種の米軍機が訓練し、最近は米兵のパラシュート降下訓練までやっています。墜落の危険、爆音・騒音、米兵により多発する犯罪などは、この基地の存在がそれを許しているのです。米国が世界規模で繰り広げる戦争の大規模な、かつ最新鋭の前進基地の一つなのです。

＊なぜここで？　音と距離の関係

なぜここで嘉手納基地の案内するのか。あそこに見える「道の駅かでな」の４階ではないのか。

嘉手納基地に勉強に来る学校のほとんどが、実は「道の駅」を指定して来ます（現在、改修中とのことです）。

ガイドブックなどには嘉手納基地を見学する箇所として、「道の駅」と書いています。確かにこの丘よりあの４階は高いですから、嘉手納基地を見渡すにはいいかもしれません。

アジア最大の米軍嘉手納基地。在沖米軍の拠点の一つで、長さ 3700 メートルの滑走路二本を有し、空軍だけでなく海軍、陸軍、海兵隊も使用する

しかしみなさんは何のために嘉手納基地へ来るのですか？　一つはここの米軍機による騒音の強さを体感する、そのことでこの周辺の方々の苦労を知ることもあるのではないですか。ここで米軍機による爆音、騒音を聞いたからといって、沖縄の人々の苦労など全部分かるはずはありません。

米軍基地があることによる苦労（被害）は、騒音だけでありません。

この広大な土地が沖縄戦以降奪われていて、米軍機の墜落、米兵による殺人や婦女暴行などさまざまな事件もたくさんあるのです。

1968 年にはここに常駐していた、ベトナム戦争に使っていた爆撃機B52 が墜落し炎上しました。2004 年には宜野湾市の沖縄国際大学にＣＨ53Ｄが墜落し、2016 年 12 月には北の方向にある名護市安部の海岸にオスプレイが墜ち、2017 年 10 月には北部の高江というところにＣＨ53Ｅという大型ヘリが炎上・墜落しました（いずれも普天間飛行場所属)。

みなさんはそんな現場に立ち会うことはないでしょうが、わずかに、ほんのわずかですが、沖縄の人たちが悩まされているジェット機が飛び立つときの騒音を聞くことが出来るのです。みなさんはここに立つのは40分前後でしょうが、この辺りの住民は日常的に騒音や各種の危険にさらされているということは、想像出来るのではないでしょうか。

ところであの4階でなくなぜこの丘なのかですが、みなさん、音の強さと距離の関係はどうなっているか理科で習っていますね。この塀の向こうに滑走路があります。あの滑走路とここの距離はどういう関係になっていますか。あの4階ならおよそ2倍ありますよね。そしたらここで聞く爆音とあの4階で聞く爆音はどちらが大きい(強い)ですか。ここで聞く方が大きいですよね。どれだけ強いか。音、光の強さの距離との関係は二地点間の距離の2乗に反比例します。つまり距離が二分の一になれば音の強さは2乗倍(4倍)になります。ここで聞く音の強さは4階で聞く音の4倍になるわけです。

これがボクがここで案内する理由です。みなさんに実際にすぐ近くで爆音を聞いてもらって、それを基点にいろんなことを考え始めて欲しいからです。

道の駅「かでな」のホームページより

学校によってはその関係を知らずに「道の駅」を指定して来るところ

がありますが、ボクは先生にそのことを話して、可能ならこの丘に変えて欲しいとお願いします。ほとんどの先生が同意してくれます。

なおこの丘は３クラスを一度に案内出来ます（３人のガイドで）。

４クラス同時に来るときは、１クラスはあの４階に回ってもらわざるを得ませんが……。あそこは観光客も多く案内しにくいところでもあります。

＊この基地の広さは――クイズで

この空港の広さはどれくらいあると思いますか。あの滑走路の向こうは少し下がっていますからここで見る広さより広いです。

またあそこに見える格納庫の向こうには米兵たちが暮らしている街（学校、教会、劇場、スーパー、ゴルフコースなど）があります。それ全部合わせてどの位と思いますか。

◆甲子園球場がいくつ入るか

ボクはそれをクイズを出して「当てたら道の駅でアイスを奢（おご）ってあげるよ。沖縄のブルーシールのアイスは美味しいよ」と言っているのですが……。一度いくつも買わされるという酷い目にあって、それからはみなの目をよく見て、「この学校なら大丈夫」と思ったときだけ（つまりあまり勉強していないと見たとき）、クイズを出しています（笑）。また大きく外れたらボクの方がもらうと言っていますが……（笑）。甲子園のダイヤモンドの広さではありませんよ。球場全体の広さです。では20秒あげますから考えてみてください。

えっ！　○○個？……ボクがアイスを頂きます（笑）。

500個です。甲子園球場は４ヘクタール。この空港は2000ヘクタール。

ちなみに左側の森は嘉手納弾薬庫で、この基地の約１・４倍あります。

嘉手納基地は嘉手納町、北谷町、沖縄市にまたがっています。

ここに住んでいる軍人、軍属が約１万人、その家族が２・２万人です。

◆何%が基地に奪われているか？

これはクイズではありません。

嘉手納町の 83%が基地に奪われています。ここには 12 の集落がありました。その内８つの集落がこの基地の中に消えています。残り４つ（正確には３つ半）の集落、合わせて 17%の面積に約１万４000 人の町民が住んでいます。

基地のため今は完全に消滅している集落「千原（せんばる）」（「砂辺（すなべ）」の北付近）がありました。そこに住んでいた人たちが、今でも「郷友会」を作って年中行事を行っています。その郷友会青年会のエイサーが素晴らしく、全島エイサーまつりなどで注目のグループの一つです。その演舞の裏には「いつか基地の土地を取り返して元の集落でエイサーを踊り、先祖たちに捧げたい」と思っている青年もいるでしょう。ここの郷友会は他の離島出身者で作っている「郷友会」とは違った意味を持っているのです。

この基地で土地を奪われた地主は 7000 人を超えます。

最大の地主は竹野一郎氏。110 万坪（360 ヘクタール）、年間軍用地代は約 20 億円。

そもそもこの基地はどういう経過で作られたのか。1943 年９月に旧日本陸軍が飛行場の建設工事を始め、１年後に「中飛行場」として使い始めました。1945 年４月に米軍が占領。その後何回かの拡張や整備があって現在に至っています。

今は米空軍第 18 航空団が管理する防空、反撃、空輸、支援、偵察、機体整備などの総合的な基地です。

＊見えるもの

ここを案内するとき丘から見えるものだけを案内していたら、ここにいる米軍の役割は一部しか理解出来ません。

つまりここに嘉手納基地があることによる裏側（あるいは別の視点）も知らなくては……です。

◆滑走路

まずここから見えるものからお話しましょう。

目の前に横たわるのが二本の滑走路です。長さ約3700メートルとオーバーランが300メートル。計約4000メートル。幅はこちら側が90メートル、向こう側が60メートル。極東最大の米軍空軍基地です。

一度F15が滑走路を4機が10秒ごとに離陸する様子を見ましたが凄い爆音でした。しかもアフターバーナー（離陸時にエンジンに燃料を再度吹き込んで推力を増やすこと。約10秒間）を使っていましたから、耳を塞（ふさ）がなくてならないほどでした。また2本の滑走路を同時に使って離陸することもありました。

日本の米軍基地は誰が守っているのか。えっ米軍だって？

ノンノン！　日本の自衛隊なのです。つまりここを守る「盾」の役割は自衛隊が果たしていて、米軍は「槍」で他国を攻撃するだけに専念しているのです（第18航空団が中心）。これだけ考えても日本の対米従属の姿勢が分かります。

◆格納庫

カマボコ型の格納庫が耐爆格納庫で15棟あります。その向こうのギザギザの屋根の格納庫は、ここの常駐機で主力戦闘機F15用（F22、F35に変わりつつありますが）の格納庫です。

カマボコ型の格納庫ですが一般的には「耐爆格納庫」といわれて

います。爆撃を受けても耐えられる格納庫という意味です。しかしネットの情報によれば、ここで一つ確認しておかなくてはならないことがあります。今、ネットには様々な情報が飛び交っていますよね。とりわけＳＮＳの時代になって誰でも情報が発信出来ます。ここで気をつけなくてはならないのがそれらの情報は多くは検証されていません。それに対して新聞、放送の世界では検証なしに新聞を出したり放送することはありません（まあ、時々誤報とかやらせという問題はありますが）。

つまりネットと既存メディアの決定的な違いは検証されたものか、そうでないかの違いです。そこでボクが「これはネットの情報だがね」と言うときそれは怪しいよ！　という意味と聞いてください。

そのネット情報によればあの格納庫のコンクリートの壁の厚さは１メートル。アメリカのニューメキシコ州のロスアラモスの原爆実験場のデータによれば、広島型原爆でも70センチあればいいそうです。

としたらあれは核シェルターではありませんか。そういう格納庫を日本の思いやり予算で作ってやっている。

もう一度言いますが、この格納庫についてはボクの言うことを全面的に信ずることは止めてくださいね。自分でいろんな資料（主に紙の）で検証してみてください。

◆軍用機

ここで見ることができる主な軍用機は以下のようなものです。

①Ｆ15　②Ｆ16　③ＦＡ18　④Ｆ35Ａ　⑤Ｐ３Ｃ　⑥ＫＣ135　⑦ハリアー　⑧ＲＣ130　⑨ＡＷＡＸ　⑩各種ヘリ

◆丘とお墓

あの丘のところで時々、パチパチという銃撃音が聞こえることがあります。あそこには射撃場があるのです。ショットガン、ライフル、拳銃などの射撃訓練をしているのでしょう。ところでボクはあの地形から見て、多分沖縄式のお墓がたくさんあった（ある）のではと考えています。戦前戦中の沖縄は風葬でしたから、亡くなってしばらく大きなお墓の中に置いておいてお骨にして、３～５年後にさらに洗骨して厨子甕（ジーシーガーミ）に収め、お墓の中に祀ります。従って沖縄のお墓は大きいです。

米軍が基地を拡張する時（1950年）に403のお墓が消えています。うち嘉手納村（当時）の方々のお墓も79が消えています。

沖縄は先祖のお墓を大事にします。とりわけシーミーとか旧盆の時など一族がお墓に集まって拝み、墓前で「会食」をしたりする習わしがあります。仮に基地の中にお墓が残っている一族などは、米軍基地ですから自由には入れません。

その時は基地の責任者の許可をもらって墓参をするわけです。これって腹が立ちますよね。戦後70年以上も不当に米国が居座っているために墓参も出来ない。入ろうと思えば外国の軍隊の許可が必要だということなのです。沖縄の土地はもともと沖縄のものです。

沖縄の人が基地には土地を貸したくない、むしろ早く返して欲しいと思う心がどこかにあると考えてください。あの戦争で本土防衛の盾にされ、県民人口の４人に１人は死んでいったという体験もその心に眠っているからと考えてください。

◆弾薬庫と核

左の森の方、この嘉手納基地の１・４倍ある地所を占めているのが嘉手納弾薬庫です。

ここには覆土式（半地下式）、野積式、上屋式という３種類の方法で築かれた弾薬倉庫が500も存在し、極東地域の米軍の弾薬補給基地になっています。クラスター爆弾、サリンやＶＸなど化学兵器、航空機用ミサイルなどなど、米軍が持っているほとんどの航空機用兵器がある訳です。核兵器は？

72年の復帰まで沖縄にあるとアメリカは非公式には認めていましたが、復帰後はあるともないとも言っていません。

復帰すれば沖縄は日本ですから「非核三原則」が適用されます。それでダンマリを決め込むようになったのです。しかしここには核や化学兵器を扱う大隊が存在します。これって「ここに核がある」ということではありませんか。

もう少し詳しく話しましょうね。

コンポーネント（component）とコア（core）という言葉があります。2008年11月に「国営放送」が放送した番組がありました。それは米空母に何に使うか分からない部屋があったそうで、それを探っていた記者が空母艦載機の編隊長（当時）にインタビューしているのですが、その時の元編隊長の証言が驚くべきものでした。

核兵器はコンポーネント（構成物）とコア（芯）で構成されている。コンポーネントが核兵器の入れ物、コアがそれに入れる核物質なのです。

つまりそれが一体となって核兵器となる。正体不明の部屋はその構成物に核物質を入れて核兵器にする部屋だというのです。その司令官は、当時（1960年代）は艦内には核兵器（この場合コンポーネントでしょう）がごろごろ転がっていたと言いっています。

この論でいくとコア（核物質）が入らない爆弾は核兵器ではなく、従って「非核三原則」に抵触しないという言い逃れが出来ます。それからいえばコアはともかく、コンポーネントは日本のどこに置いていてもいいということになります。「非核三原則は守っているよ」……と日本領海でない洋上の空母で組み立てれば問題ないということになります。しかも復帰までは沖縄には日本の主権が及ばなかったのですし、嘉手納などにはもちろん核兵器そのものが嘉手納、那覇、辺野古にはあったということなのです。

そしてコンポーネントとコアが、また一体化した「核兵器」があったことが明らかになっています。

コア（核物質）が沖縄にあったという証拠があります。

そのことを物語る番組が2017年9月10日に「国営放送」で放送されました。

ＮＨＫスペシャル「スクープドキュメント　沖縄と核」です。

①沖縄には1300発の核兵器があった。

②那覇でそのナイキミサイル（当時のものは今のように遠距離まで飛ぶミサイルではなかった）が誤発射されて核弾頭もろとも海へ落ちた。

③この大事件を米軍は隠蔽していた。

④ミサイルがメースＢ（1960年代に配備）の時代、嘉手納の核弾薬庫で働いていた兵士が「プルトニウム（コア）を韓国まで運んだ。家族には二度と会えないかも知れない。もう沖縄は終わるのだと思った」と証言しています。

さらに番組の最後にニクソンと佐藤が結んだ「核密約」には、「緊急時には再び沖縄に核兵器を持ち込む。嘉手納、那覇、辺野古の核弾薬庫を使用可能な状態で維持しておく」と書かれていると報じました。

これら弾薬庫は、いずれも本土ではなく沖縄なのです。ここで重要なことは、アメリカは洋上の空母などでなく、陸に核兵器をもつ核基地が必要なのです。そして核戦争はまず相手国の核基地を叩くことで始まります。

◆屋良集落のフェンス

ここから見える集落が屋良です。約360世帯、約1000人が暮らしています。ご覧のように嘉手納空港の壁に張り付くような集落です。騒音が酷くここに住んでおられるお年寄りは難聴者が比較的多い、またここで生まれる赤ちゃんの体重が他の地域より少しだが軽いというデータもあるそうです。

またここから左奥のところに屋良小学校があるのですが、随分前のことですが、先生が屋上に騒音測定器を据え授業時間中に限定して調査した結果、1時間(60分)に10回爆音が観測されたそうです。

ここの丘でみなさんに話していても1回爆音がすれば、約1分は話が出来ません。小学校ですから6年間学んでも1年間は授業にならないという比率です。随分前と言いましたがその当時から騒音、爆音が減ることはなくむしろ増加の一途をたどっていますから、そのデータは決して古くはないのです。最近の調査では発生回数は減ってきているとなっています。

今、嘉手納町を含め周辺の5市町村約2・2万人が原告となって騒音訴訟を闘っています。第三次嘉手納爆音訴訟です。2017年に那覇地裁は一部補償金額のアップは認めましたが、人々が望んでいた夜間（午後10時から早朝6時まで）の飛行停止は、「日本政府には米軍の行動を制約する権限はない」として却下しました。

高裁に続き、2021年3月、最高裁も住民の上告を退けました。住民は2022年1月提訴をめざして第四次訴訟に向けた準備をしています。

人々は「静かな夜を返せ」と言っているだけなのです。つまり日本では日本国憲法より日米安保条約が上位にあるのです。それが今の日本の司法の「流れ」だということを覚えておく必要があります。

ここのフェンスは2・5キロの長さがあり、防音壁と言われていますが、音は空にすっぽ抜けていきますからほとんど役に立ちません。12億円かかっています。ＳＡＣＯ事業によるもので日本政府が負担しています。

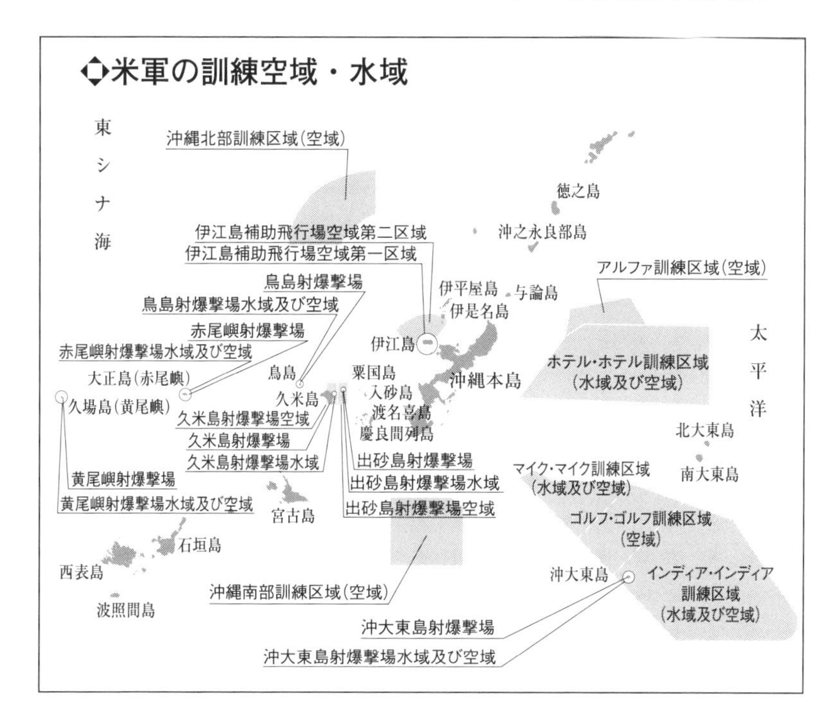

＊見えないもの——三つの危険

さてこれからはここから見えない「危険」についてお話します。

◆空・海の基地

最初の危険が空と海にも基地があることについてです。米軍が管理する訓練空域、水域です。この領域は米軍が訓練中は入域も出来ませんし、操業も制限されます。

空域は陸地（ここ嘉手納のような）の基地の約500倍、水域は同じく約300倍あります。この空域、水域も陸と同じく米軍基地ではありませんか!?

ホテルホテル地区の尖った部分に10年余り前にF15が墜落しました。この場所はパヤオ漁法によるマグロのいい漁場なのです。そ

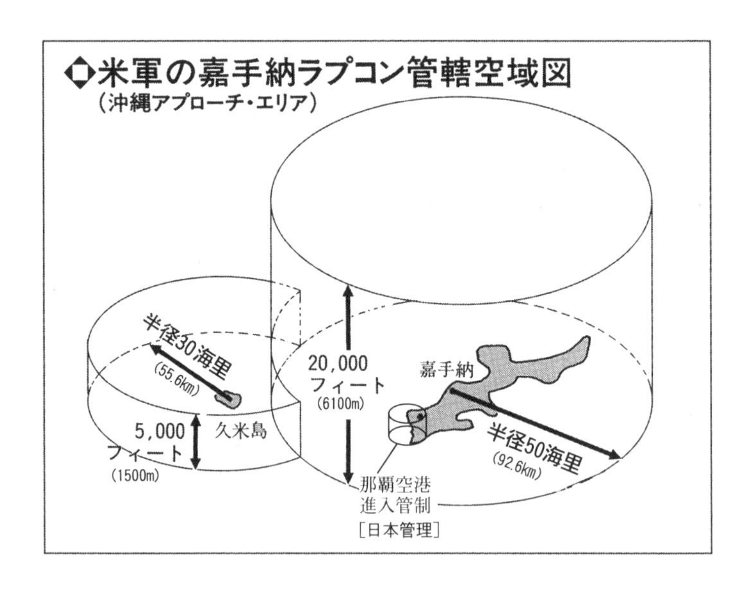

の時もパヤオ漁の漁業組合が「あぶない」と抗議するということもありました。

◆ラプコン

ラプコン、これはRADAR APPROACH CONTROL（レーダー・アプローチ・コントロール）の略です。

この空域を米軍が管理しています。民間機などは米軍の許可がなければ入域出来ません。沖縄本島はこの区域にスッポリ入っています。本土から来た民間機などは辺戸岬前からここに入ります。

ラプコンのレーダーを中心に半径50海里（約93キロ）、高さ約6キロあります。ちなみに那覇空港の管制範囲は8キロです。

1999年にここのラプコンのレーダーが故障して、その間上空で旋回を余儀なくされたり、日本に追い返された民間機がありました。それによって死傷者が出たということはありませんでしたが、これも米軍基地があることによるある種の「危険」ではありませんか。

ラプコンのレーダーはコントロールタワーの左側のアンテナが立っている付近と見ているのですが……。

米軍は2010年に嘉手納ラプコンは日本に返還したといいましたが、米軍機最優先の管制はそのままで、それを機会に嘉手納、普天間飛行場の米軍機の管制を那覇空港でやることになりました。米軍の退役軍人などがやっているということです。

こんな風に米軍の管理下になる空域は沖縄だけではありません。

羽田空港の周辺にも「横田ラプコン」があります。羽田に離発着する民間機はこの横田ラプコンを避けて飛ばなくてはなりません。

みなさんも上空から見ていて羽田に着く前に、千葉のゴルフコースをよく見ることがありませんか。西から飛んできてぐるっと回って羽田に降りることがほとんどですから、そうなります。定期航空協会はこれを自由に飛べたら経済効果は大きい（年間約180億円）といっています。

首都の周辺以外にも、「岩国ラプコン」など米軍が自由に使っている空域があるのです。「主権」って何でしょうか。

◆ 300メートル

那覇空港の滑走路は南北に走っています。民間機は、冬場は北風に向かって飛び立ちます。普通は民間機は離陸したらグーイと上昇します。それがここの場合すぐ水平飛行にかかります。アレーと思いつつ、右側の窓からは泊まっていたホテルも見えるので、この航空会社サービスいいねと思っていたら、嘉手納を過ぎてから急速に上昇します（上昇地点は那覇から27キロ、南風で那覇空港に着陸する場合は32キロ手前で下降）。

あとで調べたら嘉手納空港の管制は米軍最優先ですから、米軍機は嘉手納空港沖では高度600メートル付近に離着陸のコースがあります（自衛隊機は高度450メートル）。それもあって嘉手納空港沖では、民間機は高度300メートルで飛ばなくてはなりません。300メートルと言えばすぐそこに水面があります。最近の飛行機は大きくて重いですから、何かあったらすぐ墜落です。そこを水平飛行でしばらく飛ぶというのは怖いことです。

昔、香港の啓徳（カイタック）空港が、山が迫っていて滑走路も短くてパイロット泣かせの空港でしたが、別の島に移ったので、今は沖縄がそれに相当する場所になっているかも知れません。

冬場に本土に行くとき、さらに右側の窓際の席が取れたらそれを確認してくださいとお願いしていますが、情報は入って来ません。ボク自身の体験では北向きに離陸したあと、ぐーっと左の久米島方向へ上昇しているようで、300メートルの水平飛行を要求される嘉手納沖を通らないようにしているように見えます。

＊もう一つの危険

ここには「もう一つの危険」が加わっています。ＰＡＣ３が配備されていることです。ＰＡＣはパトリオット（愛国者）という地対空誘導ミサイルです。最近北朝鮮のミサイルから防衛するとかで自衛隊は大宣伝をしていますね。

米国や日本が構想しているＢＭＤ（Ballistic Missile Defence ＝弾道ミサイル防衛）では、相手国ミサイル発射初期では前面に展開したイージス艦のＳＭ３ミサイルで迎撃し、同時に大気圏外から目標に向かって落ちてくるだろうミサイルの弾頭をＴＨＡＡＤ（終末高高度防衛ミサイル＝ Terminal High Altitude Area Defense missile）でさらにＰＡＣ３で破壊するというものですが、迎撃に成功しても、弾頭が核だったらどうしますか。核爆発は起きなくとも核物質が飛び散ります。

それが沖縄でおきたらどうなりますか。何十年も人が住めなくなるのではないですか。ＰＡＣ３の命中率はネット上では83%という数字が散見されるようですが、検証されたものではありません（ＰＡＣ２に関しては米政府監査院のデータでは９%）。飛んでくる小銃の弾を小銃で撃ち落とすに等しいような難しさだという方もおられます。

2006年当時、北朝鮮が続けざまに東へむけて中距離ミサイル７発を撃ちました。メディアなどは日本に向けて撃ったとセンセーショナルに報じました。果たして日本に向けて撃ったのでしょうか。

ボクは昔、世界の海を渡り歩いていました。その経験からいえば、例えば横浜からサンフランシスコへ行く場合、球形上（地球上）で最短距離で線を引くと一直線になります（これを大圏コース、グレートサークルといいます）が、メルカトル法による地図（海図）上では弓なりになります。地球は球形ですから普通の地図で平面にすると北極、南極近くほど広がってしまいます。海図上では地球上での最短距離は弓なりになるのです。

ということは北朝鮮のミサイル発射の方向は大圏コースでアメリカ向けなのです。当時は６カ国協議（アメリカ、北朝鮮、韓国、中国、ロシア、日本）をアメリカに再開すべきと要求していました。

北朝鮮のこの時のミサイル発射の意味は、「アメリカに６カ国協議に参加せよ」というシグナルを送ったと見るべき（朝日新聞）かも知れません。

＊余談ですが……

北朝鮮のミサイルに絡んで一つハッキリして置かないといけないことがあります。

それはミサイルと衛星の違いです。この違いはどこにあるか。

ミサイルも衛星もロケットで打ち上げられます。ミサイルはロケットで打ち上げ、大気圏外ないしは宇宙圏で弾頭を切り離し目標に当たるように使います。

それに対して衛星は、ロケットの頭の部分に衛星を載せ宇宙圏で衛星軌道に投入します。

つまりミサイル弾頭か衛星を切り離すかまでは、打ち上げられたものがミサイルか衛星かは分かりません。

従ってその段階まではロケットと呼ぶか「飛翔体」と呼ぶのが正しいのです。政府は最初からミサイルと大宣伝をしましたが、途中で官房長官は「飛翔体」と変えました。

前に北朝鮮が南へ向かって「飛翔体」を打ち上げましたが、その時は衛星だと発表しました。短い映像でしたが宇宙からとおぼしきものが放送されました。

種子島から打ち上げられている日本のＨ２Ａロケットも衛星の代わりに弾頭を載せれば、立派なミサイルになります。

情報は正確につかみ、それを正しい知識に基づいて判断し、そのことで初めて正しい結論にたどりつくことが出来るのです。

＊「安保の見える丘」でのまとめ

嘉手納基地はどういう法的根拠で存在するのか——。

それは日米安保条約です。その条約の内実はアメリカが米軍とその基地を「望むときに望むところに望むだけ」日本国内に置くことが出来るというものです。その条約によってこの強大な米軍基地が今も存在するのです。

1951年９月８日にサンフランシスコ講和条約がオペラハウスで結ばれた裏で、下士官用クラブハウスの小さな一室でひっそりと吉田首相（当時）ひとりが署名した日米安保条約（旧）によって（それまでは米軍の占領下でしたらから米軍は自由気ままに基地を置いてい

大きなファイルの資料をはっきりと見てもらうために、バスの中でもワイヤレスマイクを使用、両手はフリーハンドに。沖縄の「見方、歩き方」をいつも語る大島和典さん

ました）、日本国に米軍基地が戦後70年以上経っても存在しているのです。そしてなぜ日本中の米軍基地のおよそ70%が、日本国土の０・６%の狭い沖縄にあるのかを、みなさんで考えてください。

この事実及び不公平性をしっかりと頭に刻んで欲しいのです。

これは思想上の問題ではありません。事実を事実として認めるかどうかなのです。

事実を知ることから何事も始まります。それをどう評価するかは、これからのみなさんの学習にかかります。どうぞ沖縄県民の置かれている立場、また日本全体の平和とどう関係しているかを考えてください。

そのためにみなさんはここに立っているのだという自覚をしっかり持ちながら……。

期待しています。

大島 和典（おおしま・かずのり）

1936年香川県生まれ。1957年詫間電波高等学校（現香川高等専門学校詫間キャンパス）を卒業と同時に日本郵船系の海運会社・八馬（はちうま）汽船に就職、第一級無線通信士として5年間勤務、その間に31か国74の港湾を訪問した。1962年徳島県の四国放送に入社、技術部に所属。労使関係で厳しい「弾圧」を受けたが、その後希望する制作部門に移り、ラジオ制作部では7度の日本民間放送連盟・中四国連盟賞を受賞。

1997年に退職後は、西日本放送のラジオディレクターの養成に関わる。またマスコミ退職者で結成したマルチメディア・サポーティング・グループ「Ｊユニオン」を設立、代表として自治体から依頼されたビデオなどを制作した。

2004年「なぜ父は33歳で沖縄で戦死しなければならなかったのか」を胸に沖縄に移住、堰を切ったように沖縄戦研究にのめり込む。辺野古の米軍基地建設反対運動では、2004年4月～2005年7月、自らムービーカメラを回して抗議する市民の「海に座る」闘いを記録、どんな思いで、どんな状況の中で座り込んでいるのか、座り込みの息吹が心に響くビデオ作品「辺野古の闘い」（7本＋2004年総集編）を制作する。これらの作品は日本ジャーナリスト会議の2005年（第48回）ＪＣＪ賞市民メディア賞を受賞した。

一方、沖縄の戦跡・基地を案内する「平和ガイド」を2004年から81歳になる2017年まで1000回以上務めた。その間、沖縄情報をインターネットで発信する「沖縄リポート」発信（2500号）と徳島新聞への投稿（208回）を続けてきた。

大島和典［沖縄平和ネットワーク］の

歩く 見る 考える沖縄

●2021年 7月15日――――――第1刷発行

著　者／**大島 和典**

発行所／株式会社 **高文研**

東京都千代田区神田猿楽町 2-1-8　〒101-0064

TEL 03-3295-3415　振替 00160-6-18956

https://www.koubunken.co.jp

印刷・製本／中央精版印刷株式会社

★乱丁・落丁本は送料当社負担でお取り替えします。

ISBN978-4-87498-763-6　C0036